D1487721

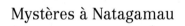

Mystères à Natagamau

Didier Périès

Mystères à Natagamau
Opération Clandestino

ROMAN

Les Éditions
David

Catalogage avant publication de Bibliothèque et Archives Canada

Périès, Didier, auteur

    Mystères à Natagamau : Opération Clandestino / Didier Périès.

(14/18)
Publié en formats imprimé(s) et électronique(s).
ISBN 978-2-89597-373-7. — ISBN 978-2-89597-406-2 (pdf). —
ISBN 978-2-89597-407-9 (epub)

    I. Titre. II. Collection : 14/18

PS8631.E7336M97 2013   jC843'.6   C2013-902736-X
                                     C2013-902737-8

Les Éditions David remercient le Conseil des Arts du Canada,
le Secteur franco-ontarien du Conseil des arts de l'Ontario,
la Ville d'Ottawa et le gouvernement du Canada par l'entremise
du Fonds du livre du Canada.

Les Éditions David   Téléphone : 613-830-3336
335-B, rue Cumberland   Télécopieur : 613-830-2819
Ottawa (Ontario) K1N 7J3   info@editionsdavid.com
www.editionsdavid.com

À Ambroisine et Erin

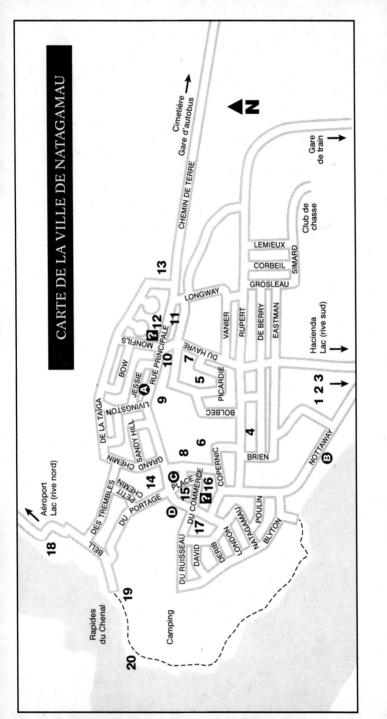

CARTE DE LA VILLE DE NATAGAMAU

LOCALISATION

A. Maison d'Érika

B. Maison des parents d'Olivia

C. Librairie

D. Breakfast Inn

1. Terrain de golf
2. Champ de tir
3. Plage
4. Polyvalente des Lacs
5. Terrain de basketball
6. Aréna, terrains de tennis et de balle-molle
7. Parc d'amusement Lions
8. Centre civique (piscine, bibliothèque, centre jeunesse, quilles)
9. Hôpital (CSSS de la Baie-James)
10. Chariots miniers
11. Église
12. Belvédère
13. Police autochtone, garage municipal et pompiers
14. École primaire Galilée
15. Monuments des pionniers (mine, forêt, hydroélectricité)
16. Bureau de poste
17. Salle du Conseil de bande
18. Rampe de mise à l'eau
19. Réseau Bell-Nature (sentiers, parc)
20. Monument Robert-Bell
? Bureau d'information touristique

Prologue

— Tu vas le regretter, dit l'homme aux cheveux attachés en catogan en franchissant le seuil du petit appartement étudiant.

« Ouf ! Il sort enfin », pensa Erika Picbois. Elle crut jusqu'au dernier moment que les mots d'Alexis, certes menaçants mais lancés par dépit, mettraient fin définitivement à la conversation et à une relation qui avait commencé un an auparavant.

Un soulier à bout ferré chassa cette belle illusion. Le jeune homme s'était retourné subitement et, dans l'élan, avait donné un grand coup de pied dans la porte alors qu'elle se fermait derrière lui. Transporter du bois de charpente toute la journée gardait les muscles toniques, à n'en pas douter ! Erika se trouvait sur la trajectoire de la porte... Elle l'eût reçue dans la figure si elle n'avait par réflexe reculé en catastrophe, laissant ainsi l'entrée à nouveau ouverte. Malgré ses 5 pieds 8 pouces – elle pouvait se permettre la plupart du temps de planter ses yeux noirs dans ceux des hommes sans avoir à lever la tête – la belle jeune femme se décomposa. Elle était surprise et apeurée par la tournure des événements. Son ex-fiancé revint sur ses pas...

— Ah! J'oubliais. Tu ne crois tout de même pas m'écarter de ta vie d'une simple pichenette, ou comme on jette un objet indésirable au rebut... J'ai peut-être mon mot à dire, et pour t'aider à comprendre, une petite correction s'impose, à l'issue de laquelle je te laisserai réfléchir à tête reposée. Et ne darde pas tes beaux yeux de biche sur moi de cette façon! Tu crois m'impressionner? Lorsque je reviendrai de ma promenade, nous discuterons calmement de la suite. C'est compris?

Il lui décocha une claque magistrale avant qu'elle ait le temps de répondre. Erika comprit alors que la question était purement rhétorique. Au choc, la jeune femme laissa échapper un bruit de ballon qui se dégonfle d'un coup. Elle alla rebondir sur l'accoudoir saillant du fauteuil en pin blanc avant que sa tête n'aille cogner le coin de la petite table de salon.

Plus tard, elle revint à elle. Sonnée et le souffle coupé, elle entrouvrit les yeux. Elle sentait son menton contre la moquette râpeuse imprégnée de l'odeur de cigarette. Elle regarda ses longs membres musclés et graciles comme si elle les voyait pour la première fois : un grand corps svelte, à la peau diaphane constellée de grains de beauté, mis en valeur par une jupe droite et noire assortie au cache-cœur rouge spécialement acheté pour l'occasion. Eh oui, c'était bien elle et pas une autre : Erika Picbois, domiciliée au 9 rue Riel, à Québec... C'était le 29 mai, jour de son anniversaire, et elle était encore en un morceau!

Dans une expiration sifflante et douloureuse, elle frotta le côté droit de son crâne, à travers l'épaisse chevelure brune. Elle palpa l'énorme protubérance. Lorsqu'elle la retira, elle s'aperçut qu'elle avait du sang plein la main... Pendant qu'elle se relevait péniblement et se dirigeait vers la salle de bain afin d'y trouver de quoi nettoyer la plaie superficielle, les images de la soirée émergèrent lentement du brouillard dans lequel son esprit se trouvait. Combien de temps avait-elle perdu conscience? Elle n'était pas sûre de ce qui s'était passé. Le coup sur la tête sûrement. Ou le choc post-traumatique. Après tout, qui est prêt à une telle violence de la part de la personne qui incarnait l'amour et la sécurité? Cela lui revenait maintenant... Samedi soir... Fête des 26 ans... Souper en amoureux avec le bel Alexis... qui, après la discussion, idéalement chaleureuse et sensuelle, l'avait malencontreusement projetée dans les airs!

Pourquoi? Tout lui revenait à l'esprit... Comment, peu avant de ramener le dessert à table, elle avait incidemment trouvé dans la poubelle un courrier du propriétaire réclamant six mois de loyer et les avertissant qu'ils ne pourraient plus habiter là désormais; comment elle avait invectivé son ténébreux fiancé, en égrenant un chapelet de reproches sur son manque d'intégrité − ne lui avait-elle pas confié le budget de l'appartement en toute confiance? − son inconstance, sa duplicité − ne l'avait-elle pas croisé six mois auparavant, au bras d'une soi-disant cousine, à la sortie d'un casino? Lui, en retour, s'était amendé (trop) platement sur sa conduite passée, avançant quelques poncifs du genre «Que ferions-nous l'un sans l'autre?», «Je t'aime, j'ai besoin de toi» ou encore «Laisse-moi une dernière chance! Je vais me refaire» et, voyant qu'aucun argument ne portait, avait terminé en l'accusant, elle, de l'avoir délaissé au profit de ses études de médecine (sa dernière année d'internat!)... Il avait conclu que c'était à cause d'elle qu'il s'était réconforté dans les bras d'une autre, qu'il avait joué au poker jusqu'à dilapider plus de 4000 dollars! C'en était trop pour Erika, elle avait donc tenté de mettre le bellâtre à la porte, avec un succès mitigé, elle devait en convenir.

C'était la première fois qu'il la battait... et ce serait surtout la dernière, se jura-t-elle intérieurement. Elle ne le laisserait pas faire! En effet, s'il avait commis l'irréparable une fois, elle avait l'intuition que cela se reproduirait. Elle laverait l'affront! Elle n'avait pas achevé ses études de médecine si brillamment pour se laisser bousculer ainsi. Une interne accomplie, première de sa promotion! Elle valait mieux que cet ado attardé qui partageait sa vie, ce gigolo incontrôlable de surcroît... Jusqu'à quelles extrémités irait-il la fois prochaine pour avoir le dernier mot, si elle ne réagissait pas aujourd'hui? Il la tuerait peut-être!

Où était-il d'ailleurs? Un coup d'œil suffit à lui confirmer qu'il avait quitté l'appartement; la porte était entrouverte. Incapable de rester debout, la jeune femme s'affaissa littéralement. Prise de tremblements, elle s'assit sur le divan et y resta quelques minutes, le temps de reprendre ses esprits. Cependant, elle s'aperçut qu'un poids monumental s'était évanoui avec le départ d'Alexis. Elle se sentait extrêmement lasse, mais aussi plus légère. Un désir profond, urgent, remonta à la surface de sa conscience; il s'imposa en quelques minutes comme une évidence trop longtemps ignorée : commencer une nouvelle vie... tout recommencer, n'importe où ailleurs.

Pour l'appartement, elle n'avait plus le choix de toute manière. Son propriétaire avait entamé la procédure d'expulsion. Elle ne pouvait y rester. Mais oui, partir loin d'Alexis, loin de Québec... et loin de ses parents (qu'elle aimait infiniment, pourtant). Il était temps qu'elle fasse sa vie, sans personne pour lui tenir la main. Ironie du sort, son crédit étudiant étant au maximum, elle devrait probablement faire appel à ses parents pour rembourser la dette et repartir à zéro. Accepteraient-ils ? Elle leur en avait assez demandé, sa mère se chargeait régulièrement de le lui rappeler. Voulait-elle encore leur devoir quelque chose ? Mais où aller ? Là était la question urgente ! Elle était désorientée.

Le seul îlot de bonheur auquel elle pouvait se raccrocher, encore intact et pur dans sa mémoire, était son enfance passée dans le Nord... Oui, revenir là-bas, regagner le seul endroit où elle se rappelait avoir été vraiment heureuse et ne pas s'embarrasser d'un *chum*. Pas tout de suite en tout cas, surtout pas un homme comme Alexis ! Qu'il aille au diable et ne la retrouve jamais ! D'ailleurs, il allait rentrer de sa « promenade »... Il pouvait revenir d'un instant à l'autre ; Erika ne savait même pas combien de temps elle était restée inconsciente. Elle consulta l'horloge au-dessus du sofa : il était près de minuit. Peu importait, sa décision était prise !

De toute façon, elle ne serait plus là à son retour. Dans un ultime et grand sursaut d'énergie, elle fit sommairement son sac, sortit de chez elle – sans oublier de s'assurer que son ex n'était plus dans les parages – et mit le contact à sa Sunfire. Il faisait nuit noire. Pour commencer, une manière comme une autre de se laver le cerveau, elle roula sept heures d'affilée. Elle ne s'arrêta qu'au petit matin, le temps de prendre un café, de faire le plein et de recoiffer son épaisse chevelure en queue de cheval. Elle évita soigneusement de se brosser les cheveux au niveau de la bosse encore volumineuse et très sensible qu'Alexis lui avait laissée en souvenir. Et elle repartit.

* *
*

Au même moment, en cette aube grisâtre de mai, à quelque deux cents kilomètres de là, Olivia Beaumerle cillait une fois, deux fois, aussi peu réveillée qu'au sortir du lit... Sa peau hâlée était parcourue de frissons irrépressibles. Un sentiment d'oppression lui serrait la poitrine. La jeune femme blonde aux cheveux courts en bataille, assez petite quoique bien proportionnée, semblait perdue au beau milieu de la rue Saint-Denis, à Montréal. Une de ces voitures de sport, rouge tape-à-l'œil, se trouvait à moins d'un mètre d'elle; son chauffeur, un petit moustachu tout en nerfs, arborant les mêmes lunettes de soleil que Tom Cruise dans *Top Gun*, debout sur son siège, vociférait des insultes inintelligibles en un mélange de québécois et d'espagnol zézayant! Du pur délire! Pour compléter le tableau, il avait les cheveux mi-longs gominés, le teint basané, les moustaches à la Pancho Villa et un gilet en cuir noir (avec franges, s'il vous plaît) sur chemise blanche.

La jeune femme comprit en une seconde qu'elle avait dû s'arrêter net au beau milieu de la circulation, pendant qu'elle traversait. L'homme à la Lamborghini flamboyante avait manqué de l'écraser. Effectivement, deux traces noires, qui s'étiraient sur une dizaine de mètres et une légère odeur de brûlé témoignaient d'un coup de frein brutal. Des incidents tels que celui-là, on en vivait quotidiennement dans une grande ville comme Montréal.

— Excusez-moi, je suis désolée, je voulais... Enfin, j'étais..., lança-t-elle sans finir sa phrase et en partant d'un pas rapide.

— Rézous, Maria, San Cristobal!

Une véritable logorrhée s'ensuivit, qui prenait non seulement Jésus, Marie mais en plus tous les saints à témoin, les sacres venant ponctuer les imprécations. Olivia, désorientée, passa le coin de la rue sans véritablement prêter attention aux menaces un peu plus distinctes que l'homme hurlait à son endroit.

— Zé vais té rétrouver, ma bellé, et tou né pourras pas éviter une pétite discoussion... Et tou risqué de passer oun salé momento... Alors, réviens! Yé t'ordonné dé rebénir! Mainténant! Rébiens!

Il ne semblait pas avoir l'intention de s'extirper d'un pouce de son siège en cuir : c'était à elle de revenir sur ses pas... Qu'il l'injurie s'il voulait, Olivia ne se retournerait pas. Après tout, il ne s'était justement rien passé! À quoi servirait de jacasser sur cet accident qui n'avait pas eu lieu : elle était saine et sauve et la voiture restait intacte. D'ailleurs, Olivia n'écoutait déjà plus vraiment, elle était absorbée par ses pensées.

Que lui était-il arrivé? Elle avait déjà eu cette sorte d'absence, hors de tout contrôle... Depuis qu'elle était toute petite, elle y avait été sujette. Dans ces moments-là, ses parents, ses amis ou ses enseignants avaient tenté de la ramener à la réalité, en claquant des doigts, en applaudissant ou par quelque autre message sonore, sans succès. Certains avaient attribué cela à un tempérament rêveur et facilement distrait, voire à un déficit d'attention. D'après ce que disaient les anciens (et que corroboraient certaines de ses lectures), on aurait également pu parler de transes. En tout cas, elle ne se souvenait alors de rien, encore moins de la durée de ces incidents, un vrai mystère... La nuit, peu le savaient, c'étaient des crises de somnambulisme à répétition, des rêves qui avaient l'air plus vrais que la réalité... Croyait-elle aux visions, aux rêves prémonitoires ? Dans la famille, on disait que c'étaient là des pouvoirs que l'on se passait de mère en fille... Sa mère et elle n'avaient jamais vraiment abordé le sujet. Il serait toujours temps, une fois de retour... mais, bon, justement, elle avait des choses à faire, à commencer par se reposer, si elle voulait présenter un visage frais le lendemain. Oui, c'est cela qui importait !

Olivia décida d'éluder un instant ces questions. Ses yeux bleus avaient retrouvé leur acuité et leur vivacité lorsque la jeune femme tourna prestement au coin des rues Saint-Michel et La Petite Reine. Après tout, ne venait-elle pas de terminer ses études en sciences vétérinaires à l'Université de Montréal ? Elle n'avait qu'une idée en tête : retourner chez elle, dans le Nord. Plus que tout, elle désirait revoir ses parents, retrouver son coin de pays. Elle n'avait pu retourner à Natagamau qu'une fois au cours des huit années qui venaient de s'écouler. Par manque d'argent ? En partie. Par orgueil ? Certainement... Elle n'aurait su dire exactement quand ni pourquoi l'idée avait germé dans sa blonde tête, mais elle s'était promis, en quittant Natagamau, de ne se présenter dans la réserve crie à nouveau qu'après avoir *totalement* réussi. Alors, chaque été, ses parents avaient fait le déplacement, afin de lui éviter de quitter sa job d'été et de lui épargner les coûts du voyage. Il n'était pas question qu'elle se déconcentre, qu'elle sorte de la voie qu'elle s'était tracée. Ses parents respectaient cela. La bourse qui avait payé une grosse partie de ses études (en particulier, lorsqu'elle avait choisi de poursuivre un internat de perfectionnement) ne la rendait pas riche pour autant. Se loger, se nourrir, se vêtir, acheter des fournitures et des livres pour les cours, s'offrir quelques plaisirs – quand même – comme pratiquer des sports ou sortir, tout cela avait un coût non négligeable. Les économies de ses parents auraient suffi pour un bac, mais pas pour huit années d'études universitaires. Elle avait un emploi à temps partiel au Musée des beaux-arts de Montréal, qui se transformait en temps complet pendant l'été et pendant le mois d'intersession en hiver.

Aujourd'hui, grâce à une gestion rigoureuse de ses revenus, la jeune femme disposait même d'un pécule qui lui permettrait de se lancer. Elle avait réussi. Elle avait obtenu son diplôme de vétérinaire avec mention. Olivia pouvait rentrer fièrement dans sa communauté. À l'instar de la majorité des autochtones de sa génération, sa mère s'était découragée avant la fin du secondaire. Son père, fraîchement débarqué de France, avait abandonné ses études d'ingénieur et ainsi brisé une longue lignée d'ingénieurs de père en fils. Il avait préféré lâcher ce bel avenir tout tracé et vivre avec la jeune femme qu'il aimait.

Olivia se reposa quelques heures dans le premier hôtel qu'elle avait trouvé sur son chemin.

Déjà, aux petites heures du matin, elle avançait d'un pas vif vers la gare centrale, où elle prendrait le premier bus pour Val-d'Or. C'était quelques jours à peine après le party de fin d'études des étudiants vétérinaires. Alors qu'elle observait dans le miroir des toilettes de la gare son petit nez retroussé, encadré de pommettes hautes, ses yeux légèrement bridés et sa bouche que beaucoup qualifiaient de gourmande, des images des jours précédents se bousculèrent dans sa tête… La vente de garage pour liquider ses affaires, la nuit avec ses condisciples, les adieux à ceux qui lui étaient chers. Ils s'étaient promis de se revoir. En se recoiffant, elle nota que son teint paraissait encore fatigué et que dormir pendant le voyage serait une excellente idée.

Deux heures plus tard, lorsque l'autobus fit une brusque embardée, elle dut ouvrir un œil. Le chauffeur proféra un juron, vite suivi d'un autre : un bolide rouge qui paraissait familier à la jeune métisse avait subitement freiné devant l'autobus Greyhound et l'obligeait à ralentir. Son voisin lui apprit que l'automobile avait fait une queue de poisson à leur autobus après l'avoir doublé à droite.

En se levant un peu de son siège, qui se trouvait à l'avant, elle put voir le bras du chauffeur de bus sortir de la fenêtre et faire un geste obscène. Ni une ni deux, joignant la parole aux gestes, il donna un coup de volant, déboîta, et entreprit de dépasser la voiture de sport italienne. C'était bel et bien le modèle de Lamborghini qui avait failli la percuter la veille, à Montréal. Alors que les deux véhicules étaient sensiblement à la même hauteur – en réalité, nota Olivia, la voiture italienne semblait accepter de se faire doubler – elle vit le conducteur : le Mexicain de Montréal !

Cette fois-ci, il avait un sombrero sur la tête, mais elle avait reconnu la moustache (à la Pancho Villa)... Ils échangèrent un long regard, lui, le rictus hostile et elle, bravache, le sourire aux lèvres... qui se transforma en grimace de terreur lorsqu'il prit sur le siège passager un pistolet, un genre de colt qu'il pointa sur elle !

La jeune femme vécut la scène de l'extérieur, détachée de son corps. Peu habituée à affronter la violence d'une menace physique, elle se vit totalement incapable de bouger, pétrifiée... lorsqu'une sirène retentit. Une voiture de police se trouvait maintenant derrière, tous gyrophares allumés, sirènes hurlantes. Elle pressait la voiture sport qui accéléra soudainement pour filer à toute vitesse vers le nord. Le policier se lança à sa poursuite. Les deux véhicules filèrent vers l'horizon. Puis, plus rien. Tout cela avait pris une minute, sans plus. Olivia eut le pressentiment qu'elle n'en avait pas terminé avec ce *triste sire*.

Dans l'autobus, les passagers ne semblaient s'être inquiétés de rien. Feignaient-ils l'indifférence ? L'incident semblait passer pour une simple altercation entre deux conducteurs, un échange de politesses comme il en arrive tant, tous les jours, sur les routes. Dès cet instant, le chauffeur ne dit plus un mot... et la jeune femme resta dans un état de stupeur jusqu'aux abords de Val-d'Or.

Là, il lui sembla qu'elle se réveillait... Ou bien recouvrait-elle simplement ses esprits après une autre de ses fameuses absences ? Était-ce un rêve ? Elle ne pouvait croire qu'elle avait vraiment frôlé la mort pour un motif aussi futile qu'avoir coupé la route à une voiture! La situation avait quelque chose d'irréel, et d'absurde. On ne pouvait mourir pour ce genre d'affront, même si c'en était un. Pas comme cela, en tout cas! Non, ce ne pouvait être le même homme... Elle avait dû se tromper. Pourquoi l'aurait-il suivie, en vérité? Cela n'avait pas plus de sens que n'en avaient habituellement ses rêves. Personne ne semblait avoir bronché; pouvait-elle décemment demander à d'autres passagers s'ils avaient bien vu ce qu'elle avait vu? Cela en valait-il la peine?

Elle préféra se convaincre qu'elle avait encore connu une des transes qui s'étaient multipliées depuis la fin de son adolescence... ou bien qu'elle avait projeté sa peur rétrospective de la veille, après avoir frôlé une mort aussi violente qu'inattendue, au point d'imaginer toute la séquence. Elle se força à repousser ce fatras dans un coin reculé de son cerveau. C'était la partie de sa vie à oublier, celle qu'elle quittait à tout jamais.

CHAPITRE 1

Le retour

Elle changea d'autobus à Val d'Or pour prendre la route 111 – qui devenait ensuite la 395, la 397, puis enfin la 113 en passant par Amos et Lebel-sur-Quévillon – vers Chibougamau. Une fois passées la ville et ses installations industrielles, le ciel se dégagea complètement. Si elle avait dormi d'un sommeil de plomb six heures durant, pendant cette deuxième moitié du voyage, Olivia put s'imprégner avec délectation du paysage de plus en plus familier qui s'offrait à elle. L'obscurité laissa progressivement place à une aurore magnifique ; un soleil souriant de tout son éclat apparut bientôt au-dessus des montagnes boisées de son pays.

Elle sentit qu'elle arrivait à destination avant même de voir le toit gris acier de la gare de bus qui, pour des raisons pratiques, était située à 10 km du centre-ville, à l'intersection de la route 113, asphaltée, et du chemin de terre qui bifurquait vers le lac Inconnu et Natagamau. Ses yeux avaient viré au vert tendre dès l'entrée sur le territoire. Elle n'avait nul besoin de vérifier dans son miroir de poche. C'était étrange, mais c'était ainsi ! Un ami irlandais lui avait expliqué que la lumière naturelle, à certains endroits, à certains moments, pouvait avoir cet effet. Encore dans l'avion dès les abords de son pays natal, l'Irlande, les autres passagers avaient remarqué ce phénomène chez ce grand gaillard aux yeux noisette. Comme si une réaction chimique se produisait entre le lieu et ses habitants, une sorte d'osmose, pensait Olivia.

Il n'y avait pas beaucoup de passagers et encore moins de monde pour les attendre. Elle repéra sans mal les silhouettes de ses parents. Son père, François, à la tignasse blonde, toujours aussi bien proportionné malgré les années, encore vigoureux et svelte ; sa mère, Alyssa, les cheveux noirs coupés au carré et parsemés de fils blancs, les épaules désormais un peu plus voûtées.

Quel bonheur de se jeter dans leurs bras, d'enfouir à nouveau sa tête dans le creux de l'épaule de son père ! Elle était chez elle, à Natagamau. La seule fois où elle était revenue, c'était quatre ans plus tôt. L'occasion était funèbre : sa jeune sœur de neuf ans venait de mourir dans un accident atroce, incompréhensible. Le genre d'événement dont on se dit toujours qu'il n'arrive qu'aux autres, aux parents négligents qui laissent leurs enfants sans surveillance !

L'hiver avait été particulièrement neigeux cette année-là. Sarah avait probablement été une des premières à se ruer dehors pour construire un igloo. Olivia n'avait jamais su qui la surveillait alors. Après l'accident, elle n'avait pas voulu honnir ses parents, déjà suffisamment affligés. Elle avait gardé pour elle la colère, les critiques et les pensées haineuses qui lui traversaient parfois l'esprit à leur endroit. Les voisins avaient été durs, la presse aussi, en les décrivant comme des parents irresponsables, presque criminels.

Ils ne lui avaient jamais fourni d'explications détaillées. Sarah était morte étouffée sous le tas de neige dans lequel elle avait creusé un tunnel. Elle avait essayé vainement de revenir sur ses pas. Leur père lui-même avait passé plusieurs minutes à creuser de ses propres mains avant d'extraire le corps de la petite fille de neuf ans.

Pourquoi Olivia n'était-elle pas restée après les obsèques ? Ses parents et ses grands-parents auraient eu besoin d'elle. D'autant plus que son frère Jo n'y était pas non plus... Avait-elle voulu leur faire payer cette disparition prématurée ? Elle n'avait pu serrer sa petite sœur dans ses bras une dernière fois, lui parler, lui dire combien elle l'aimait... Se remémorer cela lui nouait l'estomac. Ses grands-parents étaient morts peu après... Comment oublier ? Elle ne le pouvait pas, mais, en ce jour, elle voulait être heureuse !

Elle frissonna. Les rayons horizontaux du soleil ne donnaient pas encore assez de chaleur ; le vent de l'aube était froid. C'était vivifiant... oui, elle était de retour ! La famille réunie ou ce qu'il en restait aurait désormais tout le temps pour parler de ces longues années de séparation émaillées de visites trop brèves à Montréal, et vivre toutes celles qui arrivaient.

Pour l'heure, entre les hoquets et les larmes des émotions trop longtemps retenues, il lui était difficile d'articuler plus que quelques mots. Mais cela viendrait, elle le savait ! Elle savourait simplement l'instant présent.

Les rues de Natagamau s'animaient à peine. Il était pourtant huit heures du matin ! Ils traversèrent en cinq minutes les quelques rues du centre-ville jonchées de détritus charriés par les vents qui soufflaient presque en permanence. Olivia aperçut le bungalow aux formes familières qui se dessinait dans la lumière du matin. L'habitation à base très large tenait sur un seul niveau : ses lignes simples et ramassées et son toit très pentu la rendaient parfaite pour se fondre dans le paysage d'hiver. D'ailleurs, elle restait en général à moitié enterrée sous la neige au moins sept mois par an.

Le temps de descendre ses affaires de la voiture et de les déposer dans sa chambre, le repas était déjà prêt. C'était un cliché, mais la maison de son enfance lui parut vraiment plus petite que dans son souvenir : au fond, mis à part un grand salon lumineux – deux fenêtres le flanquaient ainsi qu'une baie vitrée faisant office de porte d'entrée –, elle ne contenait que deux chambres et une salle de bain minuscule. « Soit la maison a rapetissé, soit j'ai grandi », remarqua Olivia intérieurement avec un brin d'humour. On se mit à table.

– Alors, enfant prodigue, te voilà revenue au pays, constata son père.

– Oui, et pour longtemps, papa.

– Comment cela ? s'étonna sa mère. Au téléphone, ce n'était pas très clair, mais je croyais que tu ne resterais que quelques semaines, que tu avais d'autres projets… Tu sais, ici, il n'y a pas de travail, les gens n'ont pas grand-chose. Rien n'a vraiment changé.

– Eh bien, je prends le risque ! À ce jour, il n'y a aucun vétérinaire à Natagamau, j'ai pris mes renseignements. Depuis la mort du vieux Jethro, aucun remplaçant ne s'est présenté, n'est-ce pas ? Pas de relève, personne, zéro. Or, moi, je connais le travail, les animaux et surtout les gens d'ici !

– On ne veut que ton bonheur, répliqua son père. Les emplois sont rares et difficiles à trouver et vivre de son travail l'est encore plus. Les jeunes les plus valeureux partent pour ne pas revenir, et les autres, malheureux... sont souvent sans emploi ou se retrouvent dans des combines plutôt louches !

– Oui, mais justement, à nous, la nouvelle génération, de changer les choses ! Je suis sûre que je ne serai pas la seule. De toute manière, ma décision est prise. Qui ne tente rien n'a rien !

Ses parents n'avaient pu qu'acquiescer. Ils connaissaient leur fille : volontaire, optimiste et fine comme pas une, elle pouvait réussir ! Ils feraient tout pour l'aider dans son projet.

D'abord, il fallait qu'Olivia se restaure, se repose et renoue avec sa famille, ses amis et toute la ville. Voilà le programme qui l'attendait dans les prochains jours. Olivia se coucha tard à la fin de cette première journée, tant elle en avait à raconter à ses parents. Elle s'endormit rapidement, plongeant tout de suite dans des rêves troublants.

Elle était ici, à Natagamau. Ou plutôt, elle marchait sur la route vers Natagamau. Elle pouvait même sentir les odeurs familières que la terre exhale après la pluie. La rivière tout près, elle l'entendait couler. Pourtant, elle ressentait un malaise. Son périple n'était pas terminé, mais elle voyait déjà les premières maisons de la petite ville. Subitement, la terre se lézardait, un précipice s'ouvrait sous ses pieds en quelques secondes. D'un bond, elle le franchissait, mais un autre précipice s'ouvrait... puis un autre. Dans son sommeil,

Olivia les franchissait tous, mais elle se fatiguait de plus en plus. Elle finissait par y arriver... Elle était dans la rue Principale, face au Magasin général. Épuisée, elle reprenait sa respiration, pliée en deux, les mains en appui sur ses genoux quand elle se sentit observée. Horreur! De vieilles squaws momifiées, ayant les traits de sa grand-mère, apparaissaient. Elles arrivaient de part et d'autre de la rue, la prenant en tenaille! Elles avaient les bras ouverts comme pour l'accueillir! Ces vieilles femmes à la peau desséchée et ridée, aux veines bleues saillantes, la dégoûtaient. Un haut-le-cœur montait dans sa gorge...

L'envie de vomir la réveilla, avant de disparaître aussi vite qu'elle était venue. Que signifiait ce rêve? Comment cela se terminerait-il? Y avait-il un sens à son retour? Elle avait la conviction profonde d'avoir à faire à Natagamau et elle était déterminée à ce que rien ni personne ne l'arrête!

CHAPITRE 2

Un aller simple

Erika avait oublié un léger détail dans son emportement et la voiture n'en contenait pas : une carte routière. Alexis, le rabat-joie, aurait ajouté que ce n'était pas étonnant, que les coups de tête, surtout chez Erika, se soldaient souvent par des résultats inattendus et, pour tout dire, franchement décevants. Libérée de son emprise, la jeune femme n'était plus du tout prête à entendre cela. Elle savait approximativement vers où elle allait, Val-d'Or, et par où elle devait passer pour commencer, Montréal. Cependant, elle n'avait pas du tout pensé à regarder les détails de son périple. Pas de GPS, pas envie de s'arrêter ou de croiser quiconque... ou d'avoir à parler ! Et alors ?

Elle erra quelques heures d'une jonction à l'autre à Montréal, qu'elle connaissait plutôt mal, en fin de compte : autoroute 15 ? 19 ? 13 ? Elle savait seulement qu'elle devait se diriger vers le nord. Elle suivit finalement son intuition – et quelques bribes de souvenirs – et s'engagea avec succès sur la 15. Ne voulant pas reproduire l'expérience à Val d'Or, elle s'arrangea pour faire halte à une station-service en chemin, où elle s'acheta une carte. Ce détour n'entama en rien son moral. Elle se sentait comme en vacances et en meilleure forme que jamais, malgré une bosse à la tête qui la faisait encore un tantinet souffrir. Elle passa Val-d'Or sans même s'y arrêter.

Ensuite, malgré quelque onze heures de route dans les jambes, elle se sentit plus légère encore. Après Lebel-sur-Quévillon, en se rapprochant de Natagamau, au lieu de sentir plus de pression, elle fut soulagée. Rouler à 90 km/h maximum y aidait pas mal, la jeune femme en convenait. Elle prit une longue pause pour assister au coucher du soleil sur le paysage sans fin de forêt, de monts et de lacs intacts, qui caractérisait sa région d'adoption. Elle était aux anges : libre comme l'air, en pleine possession de ses moyens, elle imaginait une route pleine de surprises et de possibilités ; le bolide tant bichonné par Alexis, carrosserie rutilante et moteur vrombissant, n'attendait qu'elle pour se lancer à l'aventure…

Il était près de 9 heures du soir lorsqu'elle entra dans la petite ville. Le vent soufflait et charriait poussière et emballages vides au gré de ses caprices. Pas un chat ! Le contraire eût été étonnant. Natagamau ne vivait pas vraiment au rythme des bars, pas de boîtes de nuit et de terrasses de café, pas de clientèle de *hipsters* à la recherche de la simplicité volontaire ou d'étudiants désœuvrés ayant fini leur session.

Erika sortit se dégourdir les jambes et sentit d'un coup le poids de la fatigue : tête lourde, lassitude dans tous les muscles, même un début de vertige… Personne en vue ? Elle rentra dans la voiture pour s'autoriser quelques heures de sommeil.

Après tout, n'était-elle pas arrivée à destination ? Elle inclina son siège et s'installa aussi bien que possible en attendant les premières lueurs du jour. Elle devrait par la suite se chercher très rapidement un endroit où dormir... et travailler. Heureusement, elle avait quelques économies et sa trousse de médecin flambant neuve. Elle se sentait de taille à affronter la situation.

Dans son rêve, elle entendit un toc-toc insistant alors qu'elle claquait une fois de plus la porte au nez d'Alexis. Toc, toc ! Elle se tourna vers la fenêtre du salon... Toc, toc ! Oups ! Mais, c'était à la porte de la voiture que quelqu'un toquait ! Elle devait avoir dormi toute la nuit, parce que dans le contrejour de l'aube naissante, la silhouette d'un homme en uniforme se découpait. Un policier à la moustache sévère la dévisageait d'un air suspicieux. Elle le reconnut instantanément malgré les années écoulées depuis son départ.

— Bonjour, vous êtes là depuis longtemps ? demanda-t-il dès qu'elle eut baissé la vitre.

— Non, je reprenais quelques forces après un long trajet... J'ai très faim, ajouta-t-elle en entendant son estomac se manifester bruyamment. Où pourrais-je manger pour pas cher ? Connaîtriez-vous un logement à louer ? Avez-vous beaucoup de médecins en ville ?

— Woh ! Woh ! Woh ! On se calme, c'est moi qui pose les questions. Pourriez-vous me donner permis de conduire, carte d'identité et preuve d'assurance, s'il vous plaît ?

« C'est vraiment le style de Jack Cambers, maintenant chef-adjoint de la police crie, si j'en crois les galons sur son uniforme », nota Erika. Sa mémoire, que d'aucuns jugeaient phénoménale, le lui restituait maintenant pleinement.

Aussitôt qu'il la reconnut, son attitude changea du tout au tout. Il l'invita à sortir de sa voiture et la serra affectueusement dans ses bras. Cela faisait dix ans, mais pour les gens d'ici, rien n'y changeait, elle serait toujours la petite Rikki, la fille de l'ingénieur en chef de la compagnie Pétrola. Le gars qui avait failli rendre riche et célèbre toute la région. Le gars qui avait fait des forages pendant dix ans afin de trouver du pétrole, sans succès... puis était reparti. Le sous-sol de la région avait livré d'autres de ses trésors, sous forme minérale plutôt... pensait l'officier à la carrure de deuxième ligne de rugby.

Dès leur arrivée, Erika s'était intégrée à l'école et aux autres enfants du pays sans difficulté. Elle avait su trouver sa place et gagner l'affection de tous par sa détermination et sa générosité. Sans que son sens d'adaptation ait été particulièrement développé, ses qualités naturelles avait opéré avec succès, tout simplement.

— Tu trouveras le Breakfast Inn toujours à la même place, à l'autre bout de la ville, Rikki ! Et pour ce qui est d'un toit, je crois avoir aperçu un ou deux panneaux. Je pense que tu n'auras aucun mal à trouver quelque chose. L'espace ne manque pas par ici, tu verras... La ville se dépeuple, lentement mais sûrement. Enfin, tu sais où me trouver en cas de problème... Ah ! et puis, téléphone à tes parents : s'ils n'ont pas changé, ils se font certainement du souci, lança-t-il sur le même ton que s'il eut été son grand frère.

Elle l'avait toujours plus ou moins considéré ainsi. Ses conseils, souvent pertinents à l'époque, semblaient l'être tout autant aujourd'hui. La jeune femme estima que lâcher un peu d'information à ses parents ne changerait pas fondamentalement la situation... ni ses choix et ses parents seraient rassérénés. Alors, pourquoi pas?

Trente minutes plus tard, après avoir laissé un message sur le répondeur de ses parents, Erika se coucha avec délectation sur un lit aux ressorts défoncés, mais ô combien confortable comparativement au siège de sa voiture! Les murs étaient d'un brun passablement vieillot, ornés de motifs géométriques dans le style des années 1960. La lumière douce des deux lampes de chevet venait adoucir l'aspect brut et fonctionnel de l'ameublement. D'ailleurs, son esprit embrumé par la fatigue ne perdit pas une seconde à analyser cette chambre d'hôtel somme toute assez banale. Elle tomba immédiatement dans un profond sommeil.

CHAPITRE 3

Premiers frissons

Erika se réveilla en proie à la panique la plus complète. Non, elle ne rêvait pas! Elle était en train de tirer désespérément sur les doigts de l'homme qui l'étranglait. Elle sentait ses yeux sortir de leur orbite. Au-dessus d'elle, un homme la fixait d'un regard fou, déconnecté de la réalité, au milieu d'un visage rougi par l'effort, mal rasé et familier... celui d'Alexis! « Comment est-il arrivé là? Comment m'a-t-il retrouvée? » À peine s'était-elle posé la question qu'elle s'évanouit.

Lorsqu'elle reprit conscience, dans un sursaut de peur et se protégeant le visage par réflexe, elle était encore dans le lit, au motel. À sa droite, Rose, la propriétaire du Breakfast Inn, la couvait du regard en essorant un linge mouillé dans un bol rempli d'eau; plus loin, sur la gauche, Jack Cambers était en train d'écrire sur son bloc-notes tout en examinant la porte d'un air contrit... Elle l'observa longuement sans dire un mot. Alors que la sirène d'une ambulance se rapprochait, il releva la tête et son regard passa de la porte ouverte à la jeune femme.

— Ah! Rikki! Tu l'as échappé belle! J'avais cru comprendre que tu te sauvais de quelque chose, mais j'étais loin de penser que tu fuyais ce genre de client-là!

L'apostrophe, pour humoristique qu'elle fût, cachait mal la préoccupation que le policier cri ressentait. Son visage le trahissait.

— Jack! Je ne me souviens de rien sinon que... croassa-t-elle, pendant qu'elle se rendait compte avec stupeur qu'elle ne pouvait pas s'empêcher de trembler de la tête aux pieds, même si elle savait ne pas être fiévreuse.

— Ne t'en fais pas, moi, je me souviens de tout, parfaitement. Tu sais, dans une petite ville comme la nôtre, les nouveaux venus ne passent jamais inaperçus. Surtout en plein milieu de l'après-midi! Mon flair légendaire a fait le reste! À son arrivée, je l'ai tout simplement suivi, par curiosité, dirons-nous, jusqu'au motel. Je l'ai vu se diriger vers la réception puis en ressortir deux minutes plus tard, le regard mauvais. Il avait une tête à faire peur. cela m'a laissé une drôle d'impression. J'ai pris la peine d'aller voir Rose afin d'en avoir le cœur net. Quand elle m'a dit qu'il te cherchait, ni une ni deux, j'ai couru jusqu'à ta chambre... heureusement! Je suis entré et j'ai trouvé l'énergumène sur toi, en train de t'étrangler de toutes ses forces, au point qu'il ne m'avait même pas entendu fracasser la porte à coups de pied! Il a vite été maîtrisé...

— Et s'il était arrivé une minute plus tard, je crois qu'il aurait dû enquêter sur son premier homicide depuis longtemps! On dirait qu'il s'en est fallu de peu, renchérit Rosa.

— C'est vrai. En tout cas, mônsieur Alexis est maintenant au poste de police, bien au calme et bien enfermé surtout. Depuis l'agression, il a retrouvé ses esprits ; il m'a tout déballé et...

— Je ne sais pas quoi dire... l'interrompit-elle la voix encore plus rauque, les cordes vocales douloureuses. Je comprends mal comment il a pu me retrouver... Au fond, je m'attendais à ce qu'il m'agresse... une deuxième fois. C'est pour cela que j'ai quitté Québec, entre autres choses. Visiblement, cela n'a pas suffi.

— Non, mais là, je pense qu'il devrait te laisser tranquille pour un bout de temps, parce que la leçon qui va lui être donnée, il va s'en souvenir. Il doit être transféré à Val-d'Or afin de passer devant un juge. Avec les accusations qui pèsent sur lui et mon témoignage, il est cuit ! Ah ! pour ce qui est du mystère de son arrivée ici, je dois te le dire, même si cela ne me fait pas plaisir, c'est ta mère la seule en cause. Il a été malin, en tout cas suffisamment pour lui laisser penser qu'il y avait encore quelque chose entre vous et qu'il allait simplement te retrouver pour se réconcilier...

— Ah ! L'ignoble manipulateur ! lâcha Erika, les dents serrées, pour lutter contre l'envie de pleurer, tant elle avait mal jusque dans ses os. Et ma mère qui a joué son jeu ! Elle l'a toujours adoré ! Tu parles...

— En tout cas, ne la blâme pas trop... Peut-être a-t-elle fait cela avec les meilleures intentions du monde... et le pire des résultats, je te l'accorde ! Mais bon, dès que tu te sentiras mieux, tu passeras me voir au poste pour faire ta déposition et porter plainte. Cela ne prendra pas longtemps et j'ai absolument besoin de toi pour l'enfermer au moins un bout de temps. C'est d'accord ?

La jeune femme aux yeux sombres répondit par un vague oui. Elle voulait juste se reposer un peu encore... Ses paupières étaient si lourdes qu'elle avait le plus grand mal à garder les yeux ouverts... Elle eut juste le temps d'entendre Jack Cambers lancer à Rose :

– De toute façon, on n'ébruite pas l'affaire. Jusqu'à présent, personne n'est au courant, en dehors des services de police et bientôt du personnel de l'hôpital. La presse l'apprendra bien assez tôt. Pas un mot. La petite n'a pas besoin de ce genre de publicité le jour où elle revient à Natagamau !

Erika sombra une fois de plus, mais cette fois-ci dans un sommeil sans rêves.

CHAPITRE 4

La vedette locale

Trois heures de l'après-midi déjà! Olivia sortait de l'école secondaire des Lacs. Dix ans auparavant, elle y avait terminé son secondaire brillamment, avec l'obtention d'une bourse en prime. Depuis 8 h 30 du matin, elle avait pris la parole devant un auditoire d'adolescents. Six heures durant ou presque, avec le dîner pour seule véritable pause : ce n'était pas de tout repos! Comment les professeurs faisaient-ils? La journée avait été épuisante. Dire qu'elle n'était revenue que depuis quatre jours!

La tête renversée en arrière, les yeux clos, la jeune femme sentait l'air frais sur son crâne à travers ses cheveux blonds et courts. Elle resta quelques minutes en plein vent, le temps d'écouter le silence après le départ des bus scolaires, le temps de humer l'air vif de l'après-midi de ce début juin. Ah! Qu'elle était heureuse d'être de retour!

Quelques amis de sa cohorte avaient organisé cette journée de rencontre. Même si Olivia avait pris la parole devant tous les élèves, à raison de deux groupes par heure, l'initiative visait particulièrement les secondaires III, IV et V, chez qui le décrochage était endémique. Les professeurs et l'administration avaient été enthousiastes à l'idée de montrer un exemple de réussite professionnelle flagrante. Les problèmes de drogue et d'alcool qui sévissaient ne devaient pas empêcher ces jeunes de rêver un peu, de s'apercevoir que réussite scolaire et volonté menaient loin.

En tout cas, c'était le message qu'Olivia avait tenté de faire passer… avec un succès mitigé, selon elle. Les ados paraissaient démotivés ; les questions avaient été rares ; elle avait dû elle-même relancer la discussion plusieurs fois ou attendre qu'un professeur le fasse.

Certains lui avaient carrément demandé pourquoi elle était revenue. Le savait-elle ? Elle leur avait répondu qu'elle aimait sa terre natale et qu'elle n'aurait jamais envisagé de s'en éloigner définitivement, que cela eût été comme une peine d'emprisonnement à vie. Elle y croyait dur comme fer, c'était évident. Elle était même extrêmement fière de pouvoir servir à quelque chose avec son retour ! Pour ces jeunes, la question était candide : eux ne rêvaient que de partir. Elle revoyait encore leurs visages aux traits familiers. Ne leur était-elle pas semblable au même âge ? Les adolescents d'aujourd'hui étaient-ils si différents ?

Un bruit – un raclement de gorge pour être exact – l'arracha de ses pensées. Un petit bout de femme se tenait devant elle, tirée à quatre épingles, les dents avancées et les mèches colorées à la dernière mode. Depuis combien de temps ? Elle n'eut pas le temps de chercher la réponse…

– Bonjour Olivia ! Je suis Cassandre Hautclair, journaliste pour *La Vigie*, l'apostropha la petite dame en lui serrant vigoureusement la main. Vous êtes une vedette ici, vous savez... Vos amis et vos parents se sont pas mal chargés de faire votre promotion. Olivia par-ci, Olivia par-là...

— Oui, bonjour. Enchantée de vous connaître... et merci, mais...

— Enfin, certaines pourraient prendre ombrage de votre succès et être jalouses. Les filles sont parfois tellement mesquines entre elles! Oh! Pas moi, bien sûr! Mais enfin, une métisse à l'intelligence moyenne, sans rien de remarquable, un peu autiste même, d'après ce que j'ai compris, qui part... et qui revient quelques années plus tard diplômée vétérinaire, plutôt mignonne, une vraie femme moderne, quoi! Avouez qu'il y a de quoi impressionner son monde!

— Excusez-moi, je suis fatiguée. J'aimerais rentrer chez moi.

Le ton d'Olivia se voulait chaleureux, mais à peine réussit-elle à paraître polie. La journaliste cherchait-elle à la provoquer? La colère montait en elle. Elle fit un effort.

— Mes parents m'attendent, et des cousins aussi, alors...

— Ah! Oui! Je comprends, je comprends... J'ai eu plaisir à discuter avec vous. Pourquoi ne pas nous revoir? J'habite dans les nouveaux condos, près du centre commercial. Je vous laisse ma carte. Appelez-moi! J'aimerais écrire un article : vous seriez la personnalité du mois!

Chacune alla rejoindre sa voiture. La jeune journaliste entra dans une New Beetle vert pomme logographiée à son visage et au nom du journal pour lequel elle travaillait. Olivia monta à bord du pick-up antédiluvien et bringuebalant que son père avait sorti du garage à l'occasion de son retour.

Cette rencontre – ou plutôt cette intrusion – lui fit une drôle d'impression. La personnalité de la journaliste la mettait plus que mal à l'aise. Certes, elle avait de l'énergie et une sorte de franchise déconcertante, avec cette manière de lancer des piques tout en vous flattant... et de faire les questions et surtout les réponses toute seule. Non, c'était décidé : la proposition d'entrevue ne l'intéressait tout simplement pas.

CHAPITRE 5

Deux amies

« Enfin, vendredi matin ! » pensa Erika en enfilant ses jeans et son pull-over de demi-saison. Elle pouvait enfin quitter l'hôpital, après 72 heures de soins et de repos. Pendant les premières 24 heures, elle avait dormi, avait été examinée sous toutes les coutures, avait subi tous les examens possibles. Au moins, il y avait eu de l'animation. Depuis mercredi, c'était l'enfer ! Quel ennui ! Rien à faire d'autre que de regarder les émissions abrutissantes de la télévision... ou le plafond. Son confrère lui avait même interdit de parler afin que ses cordes vocales et autres tissus au niveau de la gorge récupèrent... Elle n'avait qu'une envie désormais : sortir.

Attention, elle aimait bien le milieu hospitalier, mais pas en tant que malade ! En fait, Erika avait recouvré ses forces assez rapidement tout de même. N'eût été de la marque autour de son cou, habilement dissimulée par le col roulé, elle même n'aurait pu déceler quoi que ce soit de l'agression en se regardant dans un miroir ou en s'entendant parler : ni tremblements incontrôlés ni regard qui se détourne, apeuré, elle en était sortie, un point c'est tout! Seule... ou presque. Une force mystérieuse la guidait depuis son retour à Natagamau. La poussait même. «Méchante résilience», se dit la jeune femme au moment où elle montait dans la Sunfire que Jack Cambers avait eu la gentillesse de laisser au stationnement de l'hôpital.

Dans l'enthousiasme du moment, et faisant fi de la rage qu'avaient déclenchée les déclarations de Jack Cambers sur sa mère, elle avait pris sur elle et téléphoné à ses parents pour tout leur raconter. Elle savait qu'elle était restée injoignable depuis le début de la semaine. Cela ne lui ressemblait pas d'oublier de téléphoner deux jours de suite à sa mère. Dans sa volonté de couper le cordon ombilical, de prendre le large, elle ne voulait pas non plus leur causer trop de soucis.

Selon eux, Alexis ne les avait pas contactés pour chercher à la revoir, ils ne savaient pas qui avait pu lui donner les indications sur sa destination. Ses parents avaient même convenu d'oublier – de pardonner – ce qu'ils appelaient «l'incident». Elle n'en revenait pas. Une tentative de meurtre! «Soit dit en pensant, cela leur ressemble bien», pensait Erika. Cachée sous le tapis, la poussière n'existait pas. Du même coup, sa mère écartait le fait que c'était elle qui avait indiqué à Alexis où se rendre, même si elle ne l'avouerait jamais. De cela Erika était intimement convaincue.

Elle sentit d'ailleurs leur étonnement et leur incrédulité à travers certains silences, surtout de la part de sa mère. Cela ne cadrait pas avec l'image que se faisait Mme Picbois de son ex-futur gendre. Finalement, ils avaient préféré s'inventer une version officielle : Erika était partie en expédition dans le Grand Nord pour trois mois de vacances afin de fêter la fin de son internat. C'est ce qu'ils diraient aux membres de la famille, aux amis ou aux collègues de son père. De toute manière, peu avant la première agression, ce dernier avait déjà reconnu qu'après huit années d'études de médecine acharnées, elle les méritait, ces vacances. Elle verrait bien après... La conversation s'était close là-dessus. Son père avait toujours été plus compatissant, plus compréhensif que sa mère, très soucieuse des conventions sociales. Erika n'était plus très sûre qu'elle rappellerait dans deux jours, si c'était pour écouter les inepties de sa mère et trouver si peu de soutien...

Le même jour, à l'heure du souper, Erika signait un bail de location avec option d'achat. En moins de 12 heures, elle avait trouvé non pas un appartement, mais une maison entière, pour le même prix que son logement précédent à Québec. C'était incroyable! Sa nouvelle – en fait, sa première – maison était une bâtisse de plus d'un siècle, peut-être une des premières maisons de Natagamau, lui avait-on dit.

D'un blanc cassé lavé par les ans, elle comportait deux étages. Elle semblait biscornue du fait des ajouts successifs, au fil des générations. Au rez-de-chaussée, une première entrée, face à la rue Principale, donnait sur un large couloir qui menait à une pièce-bureau, immédiatement à droite et, plus loin, à un grand séjour; au bout, le corridor bifurquait vers la gauche pour déboucher sur la cuisine; cette dernière donnait à son tour sur une autre grande pièce avec une grande baie vitrée. Ce solarium avait sa propre entrée depuis l'extérieur. La cuisine était spacieuse, moderne et la salle de bain complétait l'ensemble. À l'étage, sous le toit, se trouvaient trois chambres et une deuxième salle de bain. Les planchers d'origine craquaient au moindre mouvement. Toute la maison sentait bon le bois. Elle était chaleureuse.

Erika s'imaginait déjà le couloir comme salle d'attente et la pièce-bureau en cabinet de consultation ; les toilettes attenantes, elles, resteraient à usage professionnel principalement, tandis que la cuisine et le solarium seraient réservées à son usage personnel. Ne lui restait qu'à faire installer une ou deux portes, passer un coup de peinture, meubler un peu et faire graver une plaque, avant de faire passer une annonce dans le journal local. Le bouche-à-oreille ferait le reste, elle était prête à le parier. C'est ce qui arriva.

Pour ce qui était du petit équipement, elle avait déjà une trousse de médecin depuis l'obtention de son diplôme : lampe gynécologique, tensiomètre, otoscope, ophtalmoscope et l'incontournable stéthoscope. Pour tout le reste (pansements, compresses, sparadraps, antiseptiques, etc.), et si besoin était, elle était sûre de pouvoir compter temporairement sur l'hôpital, en attendant que le mobilier soit livré par la firme Lufort et Davigne de Montréal.

Les deux jours qui suivirent furent très actifs et stimulants. La maison était comme un chantier permanent : les ouvriers croisaient les déménageurs qui croisaient le peintre ou le plombier, dans un tourbillon enivrant. Les heures et les jours passèrent vite.

C'était dimanche soir, la température quoique un peu fraîche encore – elle devrait s'y habituer à nouveau – ne troublait pas la splendide journée de cette fin de printemps. Erika s'octroya une pause d'une heure ou deux. Elle ne désirait que se promener sans se presser, sans autre but que humer un peu l'ambiance de la ville qui l'avait vue s'épanouir à l'adolescence. Le centre-ville semblait déserté ; on aurait dit que le coucher du soleil avait donné à tout le monde le signal de rentrer chez soi pour y commencer la nuit.

*   *
*

Pour Olivia, il en avait été de même. Parents, amis, simples relations, tous voulaient voir celle qui était partie loin pour être médecin et revenait avec le titre de vétérinaire, épanouie, sûre d'elle et vêtue à la dernière mode, en tout cas telle que se l'imaginaient les gens d'ici. Une bête urbaine, exotique, et qui attirait les regards et les commentaires à voix basse... Elle ne repensa à Cassandre qu'incidemment, quand il s'agit de prendre un café en ville : manquait-elle à ce point d'amies qu'elle envisageait de revoir la journaliste à tête de fouine ? Pensée fugace...

Par ailleurs, conformément à ce qu'avaient dit ses parents, elle comprit vite que rien n'avait changé, ou si peu : la crise économique, le manque de travail et l'alcoolisme faisaient encore des ravages, malgré les initiatives du nouveau chef et les subventions insuffisantes du gouvernement. La terre et l'eau faisaient la richesse de la région, mais les infrastructures touristiques tardaient à se mettre en place. L'industrie forestière et la pêche connaissaient un déclin qui n'était pas près de s'arrêter... De plus, les rumeurs sur la reprise de l'industrie minière allaient bon train. Le plan

« Développement Nord » avait été voté, mais les consultations concrètes avec les autochtones tardaient. À ce jour, aucune entreprise locale n'avait, semblait-il, été consultée. Bref, la majorité des habitants attendait, espérant que tombe du ciel LE remède à tous les maux de la communauté. Pire que la sédentarisation, l'immobilisme faisait des ravages : où étaient l'imagination, l'audace, l'envie d'aller de l'avant ?

Malgré la douleur intermittente à la pensée de sa défunte sœur et l'absence de son frère, la jeune femme prenait beaucoup de plaisir à revoir cousins, oncles et tantes et tous ceux avec qui elle avait été amie au secondaire. Elle raconta à plusieurs reprises ses années d'université, où il lui avait fallu apprendre à vivre séparée de ses racines, du moins physiquement et à faire abstraction de tout, excepté de ses études. Il n'en restait maintenant qu'un souvenir un peu douloureux, largement atténué par le retour et l'accueil de tous.

Après une semaine de visites et de soupers sur invitation, enfin seule, elle commençait à se libérer pour penser tranquillement à son avenir professionnel. Ce jour-là, luxe inouï, elle put même se permettre de déambuler dans sa ville natale. Quelle ne fut pas sa surprise de voir alors, au détour de la rue Principale, vêtue d'un vieux jean, d'un foulard rouge pétard et d'un chandail parsemé de taches de peinture, sa plus chère amie d'enfance !

– Rikki ?

– Non ! Ce n'est pas possible ! Oli ! Olivia !

Les deux jeunes femmes se tombèrent dans les bras l'une de l'autre avant même d'en dire plus, toutes deux transportées onze années auparavant.

Le passant jetant un coup d'œil n'aurait pu trouver jeunes femmes apparemment plus différentes. Alors qu'Olivia était plutôt petite, avait les hanches pleines et présentait un corps musclé et explosif, Erika, du haut de ses 5 pieds 8 pouces, malgré des épaules de nageuse, avait une silhouette plus svelte, sculptée par des années de ballet, un corps au caractère plus endurant, empreint d'une certaine retenue. L'une avait les cheveux courts et ébouriffés, en un désordre savamment organisé ; l'autre les avait longs, châtains, aux reflets auburn sous le soleil, simplement retenus par un bandeau. Aux yeux en amande et d'un bleu limpide d'Olivia, dans un visage aux traits découpés qui trahissaient ses origines amérindiennes, répondait le marron profond des yeux de biche d'Erika. Chacune dégageait à sa manière une force unique : Olivia, plus ancrée, tellurique, libérait une énergie horizontale, vers l'avant ; Erika, plus légère, aérienne, dégageait une énergie toute verticale.

Au curieux regardant d'un peu plus près les deux amies qui s'observaient en silence après leur étreinte si spontanée, une évidence serait apparue : elles étaient intimes... La peau cuivrée de l'une et le teint laiteux de l'autre n'empêchaient pas de voir entre elles comme un air de famille. En effet, leurs moues, leur gestuelle, un *je-ne-sais-quoi* dans l'expression traduisaient une grande familiarité, que seules deux personnes ayant longtemps vécu ensemble peuvent avoir.

De fait, une amitié profonde les avait unies tout au long de l'école primaire et jusqu'au départ d'Erika, au cours de la troisième année du secondaire. Elles avaient continué de correspondre jusqu'au collège, sans jamais avoir l'occasion de se rencontrer. Leurs parents respectifs n'attachaient pas autant d'importance qu'elles à cette relation. L'université les avait vues prendre leurs distances, sans raison particulière. C'était étrange avec le recul, mais c'était ainsi. Cependant, une forme de complicité était restée, un lien invisible qui les amenait régulièrement à penser à l'autre, un attachement malgré les années et malgré l'éloignement.

Quelques minutes à peine après leurs retrouvailles, Erika et Olivia partageaient une pizza au Breakfast Inn. Elles renouaient ainsi avec une vieille habitude : l'établissement avait été leur quartier général pendant plusieurs années.

Cette rencontre inattendue ne dura cependant pas très longtemps. Olivia resta bouche bée lorsqu'Erika lui montra son cou et ne lâcha pas un mot durant le récit de son amie (mais les larmes qu'elle laissa perler en dirent long). Elle s'étendit assez peu sur sa propre installation, qui lui semblait pas mal moins spectaculaire. Les deux jeunes femmes avaient vécu ces derniers jours dans un tourbillon qui les laissait avides d'un peu de tranquillité et d'intimité. Chacune, à sa manière, avait eu son lot d'émotions fortes. Leurs retrouvailles en était une de plus, ô combien stimulante et positive ! Chacune avait besoin de quelques heures de répit pour digérer tout cela. Elles devraient tout de même se réhabituer l'une à l'autre.

Elles se donnèrent donc rendez-vous le samedi suivant pour une excursion dans les alentours. Entre-temps, chacune avait quantité d'affaires à régler. Elles ne pouvaient rester indéfiniment sans travail.

CHAPITRE 6

L'excursion

Après une semaine de labeur, de levers matinaux et de couchers tardifs, l'une mettant les bouchées doubles pour être fin prête à démarrer son activité professionnelle, l'autre prospectant intensivement locaux commerciaux et fournisseurs de médecine vétérinaire, elles s'étaient laissé un répit afin de faire la grasse matinée. Le rendez-vous était fixé à 10 heures du matin.

Olivia arriva la première devant l'édifice pompeusement appelé Hôtel de Ville, qui n'abritait en fait que la salle du Conseil de Bande, soit un local de réunion flanqué de deux locaux plus petits : le premier réservé aux toilettes publiques, le second servant de bureau personnel au chef. Elle avait ses chaussures de marche, des vêtements confortables et un sac à dos contenant vêtements de pluie, pique-nique et trousse de secours. Elle se rappelait encore les leçons de son grand-père maternel, James Lambert dit Pattes d'Ours : même une petite marche en campagne pouvait vite se transformer en cauchemar par manque de préparation élémentaire.

Elle avait averti ses parents qu'elle partait pour le lac Inconnu, à une couple d'heures de là et qu'elle serait de retour le soir même. Son père lui avait prêté son vieux pick-up, qualifié depuis toujours d'increvable. Il serait plus utile que la petite Sunfire d'Erika pour sillonner les chemins de terre.

Erika débarqua quinze minutes après l'heure prévue, les cheveux ébouriffés de la nuit, les yeux encore gonflés de sommeil. Elle était presque vêtue comme pour magasiner. Ah! Elle avait tout de même pris une casquette et... une paire de jumelles! Cela n'était pas anodin. Elles avaient en effet passé une partie de leur enfance à parcourir les environs. Toutes deux étaient passionnées par l'observation de la flore et surtout de la faune, des plus petits insectes au gros gibier.

Deux heures plus tard, elles atteignirent l'aire de stationnement aménagée naguère par la Société d'ornithologie de Natagamau, la S.O.N. pour les amateurs et les rares touristes. C'était le point de départ de leur excursion à pied. Pendant le trajet, elles avaient pu profiter des paysages magnifiques de taïga tachetée d'une multitude de petits lacs. Plutôt montagneuse et boisée au sud de la ville, la région offrait au nord plusieurs plaines semi-désertiques qui faisaient ressembler le panorama à une tête rasée, émaillée de trous.

Elles dînèrent près de la voiture et partirent en début d'après-midi. Les sentiers qu'elles prirent ne menaient pas directement à leur destination et elle s'arrêtaient régulièrement pour faire de l'observation. Une bonne heure était passée. L'orage menaçait, mais elles savaient qu'un coup de vent pouvait à tout moment le chasser. Erika avait retrouvé les sensations de son adolescence aux côtés d'Olivia. Elle sentait son esprit reposé, tout était paisible ici. Elle pouvait entendre le moindre cri d'oiseau à un kilomètre à la ronde; elle comprit qu'elle avait attrapé là un petit moment de pur bonheur.

Olivia gardait depuis quelques minutes les jumelles rivées sur la rive du lac. Erika s'en rendit compte, au sortir de sa rêverie solitaire. En contrebas, en effet, un groupe de petits points noirs s'agitait. Même à un kilomètre de distance, elle apercevait plusieurs véhicules.

– Oli, c'est vraiment si intéressant? Je croyais que l'on voulait profiter du paysage et des animaux! lança Erika.

– Nous ne sommes pas les seules à en profiter, si tu veux mon avis, Rikki... La chasse est-elle commencée?

– Non, répondit son amie en s'emparant des jumelles.

Elle en était certaine : le long de la route, un panneau mentionnait justement les dates d'ouverture de la chasse. Trop éloignées pour qu'on en distingue les traits, plusieurs personnes étaient regroupées et semblaient attendre quelque chose. Des hommes. Ils ne faisaient rien de particulier... jusqu'à ce qu'un ronronnement se fît entendre au loin. Tous levèrent alors les yeux vers le ciel. À l'horizon se dessina bientôt la silhouette massive d'un avion de transport de l'armée. « Pourtant aucune ligne aérienne régulière ne passe par là! » pensa Olivia.

L'avion s'approcha en ralentissant, mais ne s'arrêta pas. Il passa à environ cinquante mètres d'altitude. L'arrière s'était ouvert et plusieurs gros paquets parachutés tombèrent non loin. De très gros colis, de la taille d'une palette de chargement, à en juger le volume comparé aux hommes qui s'en approchaient avec leurs véhicules.

— Un largage de marchandises ici, c'est bizarre, observa Olivia. L'avion n'a même pas cherché à atterrir. Ce n'est pas le fruit du hasard et, visiblement, ces gens ne veulent pas rendre l'opération publique... Sinon, ils auraient utilisé l'aéroport de Natagamau, qui, en dehors de l'activité saisonnière régulière, lorsque les routes deviennent trop mauvaises en hiver, ne reçoit que rarement la visite d'avions de marchandises. C'eût été bien plus pratique, il est à peine 20 kilomètres de l'autre côté de la ville.

— Pourquoi ne profiterions-nous pas de cette distraction pour nous éclipser discrètement ? proposa Erika. Je ne me sens pas très à l'aise... Ça n'a pas l'air très net et je ne veux pas m'attirer d'ennuis.

Au moment précis où elle prononçait ces mots, un rai de soleil transperça les nuages pour venir tomber pile sur elles. Un projecteur de cinéma n'aurait pas mieux fait pour les rendre visibles. Les jeunes femmes ne s'en rendirent pas compte immédiatement, mais, captivées par la scène, elles étaient restées debout. Désormais, leurs silhouettes se détachaient parfaitement sur le ciel. Elles attirèrent certains regards en provenance du lac.

Subitement, une agitation confuse s'empara des points noirs. Deux des voitures se détachèrent du groupe et partirent en direction de la colline où Erika et Olivia étaient postées. Olivia réagit la première.

– Viens! Partons vite! Ils se dirigent par ici! cria-t-elle. Coupons par là pour rejoindre la voiture, grouille-toi! Ils vont devoir faire un détour. Nous allons les devancer. Peu importe qui ils sont, je ne crois pas qu'ils viennent nous faire une visite de courtoisie!

Erika n'avait pas besoin de cette précision pour comprendre l'urgence de décamper. Elle sentait l'adrénaline et la peur parcourir ses veines en tous sens.

Elles se lancèrent dans une course échevelée contre le temps. Pendant plusieurs minutes, elles n'entendirent que le souffle de plus en plus rauque de leurs respirations. Lorsqu'elles arrivèrent au pick-up, elles étaient dégoulinantes de sueur et de poussière. Elles n'en pouvaient plus. L'air, presque palpable, était surchargé d'humidité et d'électricité, et la chaleur était devenue suffocante – par rapport au 15 degrés habituels à ce moment de la journée et de la saison. L'orage menaçait. Elles montèrent dans la voiture et partirent en trombe vers Natagamau, sans réfléchir plus avant.

Leurs poursuivants, eux, savaient que seules deux pistes menaient au surplomb où ils avaient aperçu du monde. Ils savaient aussi que ces deux pistes se croisaient à quelques kilomètres plus au sud. Cachés derrière des bosquets près de ladite intersection, ils se préparèrent donc à intercepter quiconque pouvait les avoir repérés.

Peu après, ils reçurent de nouvelles instructions : le patron désirait savoir en premier lieu qui étaient ces personnes et où elles habitaient, avant d'entamer quelque action de répression que ce soit. Ils venaient de s'installer lorsque le pick-up passa devant eux à fond de train. Une fois passée la surprise de ne pas reconnaître deux filles de Natagamau, ils démarrèrent. Ils leur laissèrent cinq cents mètres d'avance. Ils les cueilleraient, mûres à point, chez elles.

CHAPITRE 7

Enfin chez soi ?

L'orage éclata et la pluie s'abattit sur Natagamau. Pas un mot ne sortit de la bouche d'Olivia alors qu'elle conduisait. Elle avait eu et avait encore très peur. Les jeunes femmes avaient pris leurs poursuivants de vitesse, c'était déjà une bonne chose. Mais qui étaient donc ces hommes ? Quelle était leur intention ? Les connaissaient-ils ? Étaient-elles en danger ?

Toutes ces questions se bousculaient dans sa tête, avec son lot de réponses idiotes ou contradictoires. Elle sentait encore le sang battre à ses tempes. Pourtant, elles n'avaient pas été menacées à proprement parler, mais Olivia sentait le danger presque physiquement, comme si ce dernier dégageait une odeur particulière.

– Quelle aventure, quand même ! s'exclamat-elle soudain, au moment où elles passaient devant le panneau annonçant « Bienvenue à Natagamau ».

– Aventure ! Aventure ! Tu rigoles ou quoi, Oli ? J'ai eu la nette impression que ces gars-là étaient vraiment dangereux. Regarde mes mains : elles tremblent encore.

— En même temps, il ne faut pas exagérer. Nous n'avons rien fait d'interdit, d'illégal ou de dangereux ! Nous sommes de simples promeneuses, ils l'auront compris. Nous ne les connaissons même pas, tenta de se rassurer Olivia. D'ailleurs, bravo ! Mon raccourci a parfaitement fonctionné. A-t-on croisé un de leurs 4x4 ? Pas l'ombre d'un seul ! Incroyable ! Rien, *nichts*, *nada*, *niente* ! On les a bernés facilement… On est de vraies championnes !

Erika éclata d'un grand rire nerveux. Elle ne pouvait plus s'arrêter et finit sa crise par des pleurs et des hoquets spasmodiques.

— Ouf ! Je crois que je suis encore un peu fatiguée. J'ai les nerfs à vif, je pleure pour un rien.

— Allez, allez, c'est normal, après ce que tu as vécu ces derniers jours. Tout cela paraît tout de même incroyable, non ? continua son amie.

— C'est vrai, après tout. Je crois que nous devrions tout simplement nous asseoir autour d'une bonne tisane bien chaude, dans un fauteuil confortable, après une douche brûlante. Allez, je t'invite dans mon palace !

Olivia accepta d'un marmonnement. Elle pensait qu'elles auraient pu aussi bien aller chez ses parents, partis en visite chez des cousins. Ils avaient prévu y dormir. Après réflexion, elle n'avait pas envie de rester seule cette nuit. Pourrait-elle dormir ? Ses mains à elle aussi tremblaient, c'était le contrecoup physique normal d'une montée d'adrénaline.

— Est-ce que tu m'inviterais à coucher chez toi ? s'enquit-elle auprès d'Erika. Tu me laisses le temps de prendre quelques affaires pour la nuit ?

— Aucun problème. Je pense que nous ne sommes plus à cinq minutes près, de toute manière.

On arrive chez toi, justement ; je te dépose et tu me retrouves là-bas, d'accord ? Cela me laissera le temps de faire un petit peu de rangement... La maison n'est pas difficile à trouver : tu descends la rue jusqu'au monument des premières nations et tu continues sur la Principale, comme pour prendre le chemin de terre. J'habite face à l'hôpital, au 57.

* *
*

À l'instant où Olivia sortait de la maison, elle vit passer la Beetle vert pomme reconnaissable de Cassandre Hautclair. La petite voiture freina brutalement et fit marche arrière. La vitre avant gauche s'ouvrit sur le visage fouineur de la journaliste.

— Bonjour, Olivia ! Ça va bien ? Quelle tête tu fais ! Regarde l'état de tes vêtements ! Je ne savais pas que les vétérinaires allaient jusqu'à se rouler par terre... Tu travailles avec quel genre d'animal ?

Olivia ignora la pique pour répondre.

— Je... Je vais bien. Je suis juste allée faire un peu d'observation ornithologique. C'est un de mes violons d'Ingres.

— Tu sais, j'ai parlé à mon rédacteur en chef. Nous pensons vraiment à te publier en personnalité du mois prochain. Quand pourrions-nous...

Olivia lui coupa la parole un peu trop précipitamment pour être polie.

— Je dois aller chez une amie, elle m'attend...

— Ok ! Je t'appelle demain. Tu m'es sympathique. Si tu as besoin d'un peu d'aide afin de te réadapter à la région, tu peux aussi me téléphoner : je t'ai laissé ma carte, non ?

Un peu interloquée par ce mélange d'aménité et de méchanceté (involontaire ?), Olivia ne répondit pas tout de suite. Quand elle se décida à lui souhaiter une bonne fin de journée, Cassandre baissait déjà la vitre de sa voiture.

Pendant l'entretien, elle avait hésité à lui faire des confidences. Elle se sentait encore gênée... Pourtant, la proposition de Cassandre semblait franche, sans arrière-pensée. Elle ne s'était pas non plus sentie bousculée pour accepter l'entrevue. Pas de harcèlement journalistique. Cependant, le ton qu'elle adoptait, ses manières, paraissaient contredire ses paroles. « Enfin, si je dois m'installer comme vétérinaire, la publicité que me fera un article dans *La Vigie* ne sera peut-être pas à dédaigner », songea-t-elle, en ouvrant la portière grinçante de sa superbe Chevy 1971.

En fait, le moment ne lui paraissait pas idéal pour réfléchir à tout cela... Cassandre l'avait une fois encore retardée. Erika l'attendait.

CHAPITRE 8

Le cambriolage

Ni Olivia ni Erika ne savaient qu'elles avaient été suivies. Désormais, leurs poursuivants savaient qui elles étaient et où elles habitaient!

Au cours de cette soirée, elles n'envisagèrent pas un instant d'aller à la police. Heureusement, car dans le cas contraire, et conformément aux instructions du *boss*, elles auraient été interceptées et capturées, pour finir on ne sait où ni comment. Pleinement satisfaites de se retrouver à l'abri, elles repassèrent tout de même le fil des évènements. Puis, la fatigue eut raison d'elles. Elles décidèrent de reporter toute décision au lendemain matin.

Pendant ce temps, les échanges téléphoniques s'intensifiaient entre les occupants des deux voitures et leur patron. Ces deux jeunes nigaudes seraient faciles à effrayer. Une simple menace suffirait à les dissuader de parler de ce qu'elles avaient vu.

Les deux amies ne s'aperçurent de rien jusqu'au petit matin. Aux environs de 5 h 30, Erika eut l'impression que la température dans la maison avait vraiment baissé. Elle entendait les rideaux battre au vent comme si des fenêtres étaient ouvertes. Il y avait des courants d'air. Or, dans son demi-sommeil, elle se souvenait parfaitement avoir vérifié toutes les ouvertures de la maison. Les nuits étaient assez fraîches, merci! Le silence lui parut bizarre, ce n'était pas celui de la maison avant le lever; quelque chose avait changé...

Erika descendit les marches séculaires sur la pointe des pieds, pour ne pas réveiller Olivia. Au bas de l'escalier, elle prit immédiatement conscience que quelque chose clochait : la porte était grande ouverte – alors qu'elle était certaine de l'avoir fermée à clef. En baissant les yeux, elle aperçut papiers, stylos et objets variés dispersés par terre. Ce n'était pas l'effet du courant d'air!

Avançant prudemment vers le cabinet de consultation, elle comprit alors l'étendue du désastre. Tout était sens dessus dessous! Rien n'avait été épargné, y compris le peu de matériel médical qu'elle avait en sa possession. Au chapitre des instruments à commander d'urgence, parce que détruits : la lampe gynécologique, le tensiomètre, l'otoscope et l'ophtalmoscope. Mais plus important et symbolique : on lui avait pris son stéthoscope!

Plus loin, à la cuisine, pareil. La tapisserie avait même été arrachée, les tiroirs vidés, les sacs de nourriture éventrés. Elle était encore là, sous le choc, lorsqu'un cri retentit. Olivia était au bas de l'escalier, le visage figé. Elle pointait du doigt un des murs du couloir, qui avait échappé à l'examen d'Erika. En lettres rouge sang, il était écrit :

PREMIER ET DERNIER
AVERTISSEMENT!

Il fallut plusieurs heures aux jeunes femmes pour se remettre de leur stupeur et tout ramasser. En silence, elles mirent d'un côté les sacs-poubelles et de l'autre ce qui était récupérable. L'inscription fut ôtée sans grande difficulté, c'était de la peinture à l'eau. Cependant, pour Erika le coup était dur, elle qui comptait ouvrir son cabinet dans la semaine! Elle ne comprenait pas. Même le minimum dont elle avait besoin pour exercer lui avait été enlevé. Heureusement, l'hôpital de la ville, bien que chichement pourvu, était en face, mais que pourrait-elle obtenir en moins de 24 heures?

— Pourquoi avoir fait cela? Bon, ce n'est pas la fin du monde, mais sans matériel médical, je peux oublier l'ouverture du cabinet demain. Est-ce que le voleur cherchait quelque chose en particulier, d'après toi?

— Erika! Ho! Reprends tes esprits! objecta tout de suite Olivia. Ce n'étaient pas de vulgaires cambrioleurs. As-tu oublié le message sur le mur? Non, nous avons été punies pour ce que nous avons fait. Tu sais de quoi je parle...

— OK, je comprends! Désolée, je suis un peu désorientée. Mais comment ont-ils pu connaître mon adresse? Comment ont-ils pu entrer sans que nous nous en apercevions et mettre tout à sac?

— C'est assez facile à imaginer, non? Ils nous ont probablement suivies. Puis, ils ont sagement attendu, sachant que nous dormirions à poings fermés pendant la nuit. Je suppose que notre état de fatigue leur a permis d'agir à leur guise. De plus, habiter sur la rue Principale n'est pas toujours de tout repos, même ici, à Natagamau... Toute la nuit, il y a du bruit : une voiture qui passe en trombe, un ivrogne qui beugle... À moins qu'ils nous aient endormies avec un quelconque gaz soporifique... Bon, là, j'exagère peut-être un peu, je lis trop de polars. Enfin, tu admettras que ta porte n'est pas de celles qui résisteraient longtemps à un professionnel. Regarde, elle a été à peine forcée, cela n'a pour ainsi dire pas fait de bruit.

— Dire qu'ils étaient là, à deux pas! Nous étions à leur merci! J'en frémis rien que d'y penser. Ils auraient pu nous agresser! Ils sont certainement dangereux...

— Mais, ajouta Olivia, ils ne l'ont pas fait. Ce ne sont peut-être pas des tueurs. Ils ont commis une erreur, tu ne crois pas?

— Comment cela?

Erika n'entrevoyait que partiellement la réponse... Olivia reprit de plus belle. Comme à son habitude, alors qu'on la croyait anéantie et battue, elle se relevait et faisait face.

— Si l'on porte plainte, à part constater un cambriolage, que va pouvoir faire la police? Nous n'avons quasiment aucune information à lui donner : pas de signalement de nos poursuivants, rien à part les coordonnées du largage, au beau milieu de nulle part, à deux heures de la ville. Est-ce que tu crois que cela pèsera lourd, y compris pour Jack Cambers, qui nous aime bien? Je n'y crois pas.

— J'avoue que, présentée ainsi, la situation est plutôt claire, même un peu trop. Tu as dû lire pas mal de polars toi aussi, ta faculté de déduction est pas mal affûtée.

— Est-ce que tu crois que tout ce cinéma va m'inciter à rester prostrée et soumise, moi Olivia Beaumerle? Ils me connaissent bien mal... Je vais commencer par en parler à mon père. Tiens! Je vais repasser chez moi... Oh! Mon Dieu! Je pense à une chose : s'ils nous ont suivies depuis le lac jusqu'ici, ils savent forcément où habitent mes parents !

Elles se précipitèrent vers la Sunfire. Erika conduisit à tombeau ouvert jusqu'au bungalow des Beaumerle, manquant de griller un feu en plein centre-ville. Leur intuition ne les avait pas trompées. La même vision cauchemardesque les attendait là aussi.

– C'est un vrai désastre ! se lamenta Olivia. Que se serait-il passé s'ils avaient été surpris par mes parents ? Même si visiblement ces gars ne sont pas venus pour s'en prendre physiquement aux personnes, mes parents l'ont échappé belle… En tout cas, chance inouïe, ils se sont absentés pour aller aux funérailles de la mère de la femme de mon frère Jo. Elle habite à quelques heures d'ici, un peu plus au nord. Je croyais qu'ils seraient rentrés hier soir, mais ils ont dû repousser le retour d'une journée.

Erika ne put qu'acquiescer.

– En effet, leur absence a été opportune. Ils ont peut-être ainsi évité de mettre leur vie en danger.

Il leur restait peu de temps pour nettoyer et ranger ce qui pouvait l'être. Elles pourraient également effacer le funèbre avertissement peint en rouge sur le mur du salon. D'un commun accord, elles décidèrent de taire ce détail, pour ne garder que la version du cambriolage crapuleux. En effet, la disparition du service de table en argent l'attestait : des voleurs, de petits délinquants, s'étaient introduits dans le bungalow dans le seul but de trouver de l'argent, des bijoux et tout autre objet aisément monnayable.

Ce n'était malheureusement pas le premier cambriolage dans la région ces dernières années, et ce ne serait probablement pas le dernier! Son père irait tout de même déclarer l'infraction au bureau de la police crie. Elle ne pouvait l'en empêcher, à moins de mettre Jacques et Alyssa Beaumerle dans la confidence. Dans l'immédiat, mieux valait l'éviter : aucune des deux amies ne voulait les impliquer dans cette histoire qui prenait une tournure pour le moins dramatique.

CHAPITRE 9

Un peu d'aide ?

Lorsque les parents d'Olivia arrivèrent dans l'après-midi, ils ne s'attendaient évidemment pas à un tel spectacle. Les filles avaient nettoyé la plus grande partie des dégâts, mais les armoires vandalisées et certains meubles brisés étaient restés en l'état. C'était la première fois qu'ils étaient victimes d'un cambriolage. Une fois le choc et la surprise passés, ils commencèrent à poser des questions.

Par exemple, ils ne comprenaient pas pourquoi des individus avaient voulu s'attaquer à leur logis, dans un quartier modeste de la ville plutôt qu'à une maison plus cossue – et il y en avait... S'agissait-il de drogués ou d'alcooliques en manque, prêts à revendre la moindre babiole pour se payer un peu de *crack*, quelques pilules ou une bouteille ? C'était le plus probable, finirent-ils par conclure.

Les jeunes femmes tentèrent une diversion en changeant de sujet. La soirée passa, d'autant plus morose que furent évoqués les membres de la famille décédés récemment. dont la mère de leur bru, qui venait de succomber à ce que l'on appelait pudiquement – et hypocritement – une longue maladie, pour ne pas nommer le cancer.

Immanquablement, on parla des grands-parents d'Olivia, James dit Patte d'Ours et Olivia dite Yeux-de-Biche, qui avaient quitté ce monde d'un commun accord. En effet, les anciens quittaient de leur propre initiative la tribu pour aller mourir à l'endroit et au moment de leur choix. C'était un beau soir de printemps, quelque trois ans auparavant. Olivia regrettait plus que tout de n'avoir pu venir, et par manque d'argent et parce qu'elle se trouvait alors en pleine session d'examens. Elle leur avait rendu visite au cimetière indien le lendemain de son arrivée et comptait bien y aller chaque semaine.

Avant d'aller se coucher, les parents d'Olivia proposèrent à Erika de rester dormir. Et les deux jeunes femmes discutèrent sur la terrasse à l'arrière du bungalow. Elles devaient envisager sérieusement leurs options. Entre les cris des oiseaux de nuit et les bruits de la télévision des voisins, elles n'eurent aucun mal à se faire discrètes. Une décision devait être prise : se conformeraient-elles aux exigences sous-entendues par le message des cambrioleurs ?

Erika savait ce que pensait son amie avant même qu'elles en parlent. Sa force de caractère, sa fierté avait transparu en un éclair peu après la découverte du méfait. Une personne qui ne l'aurait pas connue aurait pu rétorquer que c'était une réaction à chaud, sans grande conséquence. En effet, la plupart des gens s'énervaient mais n'avaient pas la détermination pour s'accrocher et aller jusqu'au bout de leurs actions. Olivia, oui. Et le visage de la jeune métisse était si expressif... En ce moment, elle fulminait. Le cambriolage équivalait à une attaque directe contre ses parents; c'était pire que tout!

Désormais, il semblait qu'Olivia avait une nouvelle raison d'être là, et de rester. Mais, aussi compatissante fût-elle, qu'était venue faire Erika ici, à Natagamau? Tout cela méritait-il qu'elle s'obstine? Ce n'était pas exactement le nouveau départ auquel elle pensait encore deux semaines auparavant : devait-elle le prendre comme un signe? S'était-elle fourvoyée? Ne devait-elle pas repartir et oublier toute l'histoire, suivant ainsi les conseils de modération de sa mère? Au mieux, elle pouvait servir de soutien psychologique à Olivia – temporairement, pourquoi pas? –, au pire, être une charge, un boulet pour elle... Dans ces conditions, son départ ne serait-il pas même souhaitable? Olivia interrompit les sombres pensées dans lesquelles était plongée la grande brune.

– Tu sais, je ne pensais pas te revoir un jour, en tout cas pas si tôt. Je nous imaginais plutôt nous donnant rendez-vous dans dix ans, avec nos maris et nos enfants... une fin de semaine nostalgique dans un chalet à la montagne, dans le coin du Mont-Tremblant.

Erika gardait le silence, murée dans ses tristes perspectives.

– Je me rends compte maintenant que te savoir à nouveau près de moi me rassure, continua Olivia, cela me donne même du courage! Notre avenir est ici, à portée de main. Je ne laisserai personne l'enterrer! Je ne laisserai pas de vulgaires délinquants gâcher nos rêves et notre belle amitié retrouvée! Nous méritons mieux que cela, non?

Erika continuait de réfléchir. Qu'est-ce qui l'attendait ailleurs, après tout ? Était-elle venue à Natagamau pour retrouver des sensations perdues, le paradis de son enfance ? Pour se retrouver elle-même ? OK, ce paradis n'existait plus, mais elle avait finalement trouvé son amie, son alter ego, ainsi qu'une communauté dans laquelle elle se sentait malgré tout à son aise.

– Ouais ! Tu as raison. Ce n'est pas à nous de nous tasser sur le bord du chemin, mais à ces messieurs les hors-la-loi de faire attention maintenant ! Quoi qu'ils tentent de dissimuler, leurs activités paraissent illégales. À nous deux, nous pouvons faire un petit quelque chose, mais peut-être serait-il plus sage de nous adjoindre quelqu'un… d'aller chercher un peu d'aide auprès de…

– Finalement, je préférerais laisser mes parents à l'écart de tout cela, se contenta de déclarer Olivia. Je dois m'éloigner d'eux au plus vite, afin de les épargner, si par malheur les choses empiraient. De toute façon, je devais me trouver un logement et ouvrir ma clinique pour animaux. Alors, maintenant ou plus tard…

– Écoute, si nous devons régler le problème ensemble, autant que nous restions proches. Pourquoi ne viendrais-tu pas habiter chez moi ? proposa Erika. C'est un peu trop tard pour ce soir, mais à partir de demain… Le solarium, sur le côté de la maison, ferait un parfait cabinet de consultation pour commencer, non ? Il a sa propre entrée. De toute manière, tu seras amenée à pas mal te déplacer dans les fermes des environs, donc tu ne dois pas avoir peur de me déranger ; et pour les animaux en pension, la remise – en fait, c'est un hangar – à l'arrière, est très spacieuse, avec quelques aménagements... Comme tu t'en es aperçue, nous avons aussi du stationnement sur le côté de la maison. Est-ce que tu as besoin de beaucoup d'espace ? Qu'en penses-tu ?

— Cela me paraît être notre meilleure idée depuis longtemps ! Au moins, s'ils nous cherchent, ils nous trouveront, et plutôt toutes les deux que seules ! blagua Olivia. Tope là ! J'accepte, mais à une condition : je paie ma part de toutes les dépenses. Et pour ce qui est d'accaparer encore plus de ta maison pour mon cabinet, j'accepte ton offre, elle est alléchante, mais laisse-moi y penser.

Trinquant à leur nouvelle association, elles repartirent chacune dans leurs pensées. Olivia se promit de réfléchir plus sérieusement que jamais à son installation professionnelle, mais certains problèmes étaient plus urgents. Seules, elles ne pourraient pas les régler, il fallait le reconnaître. Aller voir Jack Cambers serait probablement suicidaire... Que restait-il comme solution ?

— Tu sais, reprit Olivia, comme si elles n'avaient fait que continuer leur discussion, quand je repense à nous, à nos années d'enfance et d'adolescence, un autre visage apparaît toujours... Le Club des quatre... Et non, je ne fais pas référence à Culotte : pauvre chien, il me manque, c'est vrai ! Enfin, il avait mérité son repos lorsque mon père l'a fait euthanasier. Non, je voulais parler de notre fidèle chevalier servant ; il nous reste Œil d'Aigle. L'as-tu oublié ?

CHAPITRE 10

Œil d'Aigle

Erika avait finalement accepté l'invitation des Beaumerle. Olivia et elle avaient couché dans le même lit, par manque de place, ce qui les arrangeait bien. Cette nuit-là, si l'on avait pu entrer dans l'esprit des deux jeunes femmes, on y aurait trouvé sensiblement le même rêve.

Dans un paysage de plaine couverte d'herbe rase, trois adolescents s'en allaient par une belle journée de printemps. Ils pouvaient avoir 14 ou 15 ans. Un garçon aux cheveux noir corbeau et à la peau très mate, tout efflanqué, marchait à grands pas à côté de deux filles de son âge. Il riait aux éclats, d'un rire franc et sonore. À sa gauche, une blonde au teint cuivré le regardait à la dérobée et lui lançait des œillades amoureuses. À sa droite, l'autre jeune fille, plus grande, aux cheveux auburn, le collait de près pour continuer sa route bras dessus bras dessous. Ils portaient tous leur sac d'école pendu à l'épaule. Il se dégageait de cette scène une impression de bonheur simple et d'entente profonde.

Elles se réveillèrent étonnamment reposées et sereines. En effet, elles étaient convaincues d'avoir un nouvel allié qui leur permettrait de prendre l'avantage. Ne restait plus qu'à le retrouver et à le convaincre d'embarquer dans leur histoire, probablement au risque de sa vie. Une bagatelle, quoi! Elles profitèrent du déjeuner avec les parents d'Olivia pour aller à la pêche aux informations.

– Œil d'Aigle? Oui, il vit encore, j'imagine, quelque part dans les cinq cents kilomètres autour de nous, déclara nonchalamment son père.

« La conversation s'engage mal », pensa Olivia. Toutefois, sa mère disposait de plus de renseignements. Les femmes jasaient beaucoup plus volontiers de questions personnelles.

– Oui, sa mère est morte il y a quelques mois. Rappelle-toi, je te l'avais dit au téléphone, commença Mme Beaumerle. J'ai beaucoup parlé avec elle, parce que j'allais lui rendre visite régulièrement à l'hôpital, les derniers temps. Le pauvre garçon a eu un itinéraire chaotique depuis que tu as quitté la ville. Il faut croire qu'il avait quelque chose à prouver. Il s'est d'abord engagé dans les Forces canadiennes… Il en est revenu vraiment changé. Il a cherché un travail par ici, ce qui est déjà chose compliquée, mais, en plus, son caractère ne s'était pas arrangé. Il était devenu taciturne et très susceptible. Ce fut donc en vain. Ensuite, il a sombré dans l'alcool et puis, un jour, plus rien. Disparu. Sa mère, je crois, ne s'en est jamais remise. Elle ne l'a revu que dans les derniers jours de sa vie. Il est resté à son chevet nuit et jour, jusqu'à ses derniers instants.

Bouleversées par le récit, Erika et Olivia n'osaient (et n'auraient pu) dire un mot. Elles avaient oublié un instant leur propre malheur et pourquoi elles en étaient venues à parler d'Œil d'Aigle.

– Je crois qu'il habite dans le quartier du Ruisseau... Je ne l'ai pas revu depuis l'enterrement. Je ne serais pas surprise qu'après tant d'épreuves, il en soit au dernier stade de la déchéance, termina la mère d'Olivia, les yeux embués de larmes.

– Mouais, enfin ! Quel rapport avec le cambriolage ? questionna un François Beaumerle qui cherchait la logique dans tout cela.

– Oh ! Aucun, aucun... répondit maladroitement Olivia, c'était juste comme ça. Hier soir, avec Erika, nous évoquions nos souvenirs du secondaire et le nom d'Œil d'Aigle est ressorti...

Elle avait repris ses esprits. Il leur fallait absolument le retrouver et le convaincre de les aider !

Après une douche rapide, Erika repartit chez elle. Elle devait finir de préparer la maison pour Olivia et pour les patients qui ne manqueraient pas de se présenter sous peu – elle désirait commencer au plus tôt, puisque sa décision était prise. Elle devrait donc rendre visite à ses confrères de l'hôpital, ils pourraient certainement lui prêter ce qu'il fallait, le temps nécessaire à son réapprovisionnement. Et bientôt viendrait le jour d'ouverture officielle du cabinet médical Picbois ! Elle avait également promis à Jack Cambers de passer au poste de police pour signer sa déposition et prendre des nouvelles de son ex. Bien que n'étant pas très loin, à l'entrée est de la ville, la jeune femme avait un peu procrastiné à ce sujet, elle allait se secouer.

Olivia, elle, ne pouvait se payer le luxe d'acheter ou de louer un local si elle devait se procurer son premier équipement, c'était clair. Les quelques appareils laissés par le vieux Jethro étaient poussiéreux et obsolètes pour la plupart. Elle avait seulement gardé quelques meubles de rangement, des cages et des box modulables ainsi qu'un vidéoscope flexible et étonnamment neuf. Et puis, autant se l'avouer, elle voulait recommencer dans du neuf, tout simplement! Les coûts grimperaient en flèche. Alors, elle avait prévu aller négocier à la banque un prêt de démarrage d'entreprise qui lui permettrait de préserver ses quelques économies tout en remboursant à son propre rythme.

Elles convinrent de partir à la recherche de leur ami à la fin de la journée. De surcroît, la nuit contribuerait à la discrétion nécessaire à leur opération. Il n'était pas question que leurs adversaires s'aperçoivent de leur manège. Erika et elle donneraient le change. Elles devraient avoir l'air de s'écraser devant la menace fantôme.

CHAPITRE 11

Devine qui vient dîner ce soir ?

Cassandre Hautclair revenait d'une sortie dans ce qu'elle appelait avec un brin de mépris, mais jamais en public, le « no man's land ». L'expression désignait tout ce qui se trouvait au-delà des quatre ou cinq pâtés de maisons constituant le centre-ville de Natagamau.

Elle quitta la très belle demeure du chef de bande. Elle y avait été invitée pour couvrir, au nom de *La Vigie*, le tout premier déjeuner des gens d'affaires du territoire, organisé par le conseil. Cette initiative devait renforcer les échanges entre les forces vives et entreprenantes de la région, et de ce fait, en favoriser le dynamisme économique, dixit le chef Jo Ladouceur alias Plume Noire, qui n'avait rien de doux, par ailleurs.

Elle en rigolait encore : la maison de style manoir, avec deux tours médiévales, trois étages avec balcons et six salles de bains ; ces singes endimanchés portant toast après toast... Et tout cela, dans quel but ? Se faire mousser ? Probablement. Faire relever la tête à leur communauté ? Faire honneur à la terre de leurs ancêtres qu'ils disaient respecter plus que tout ? Elle en doutait. C'était pour elle un spectacle dont elle devait rendre compte le plus sérieusement du monde.

L'article serait plus difficile à écrire cette fois-ci. Surtout en repensant à l'excentrique personnage à moustache, sec et bronzé comme un pruneau ; un genre de Mexicain, qui lui avait été présenté comme un des investisseurs majeurs de la région aujourd'hui ! Arrivé depuis peu, celui qui se faisait appeler Señor Joe (Joseph Corley One de son état civil, d'après l'information glanée rapidement sur Internet) avait, selon elle, plutôt l'accent roulant de la Nouvelle-Écosse. Cassandre l'avait reconnu dès les premiers mots, une de ses colocs de collège était native de cette province maritime. Ses inflexions de voix mâtinées d'un vague accent espagnol d'opérette ne visaient, selon elle, qu'à se donner un genre, évidemment. Par conséquent, il n'avait de mexicain que l'apparence. Au-delà de cet ensemble quelque peu dissonant, Cassandre le trouvait simplement laid, mais charmeur... et très riche.

Elle savait qu'il avait, sans vergogne, acheté à coups de milliers de dollars, des appuis auprès des citoyens les plus influents de la ville ainsi que des amitiés dans la population. Pourtant, elle n'avait toujours pas bien compris ce qu'il faisait vraiment ici. Derrière le sourire amical en façade, elle avait deviné que se cachait un carnassier. Elle se promit d'y revenir... à tout le moins, de s'informer de manière détaillée à ce sujet.

S'il continuait à dépenser tous azimuts comme il semblait vouloir le faire, il pourrait vraisemblablement devenir l'une des personnalités de la ville distinguée par *La Vigie*. Pourquoi pas la personnalité de l'année? À l'instar d'Olivia Beaumerle, d'ailleurs, mais dans un autre genre.

Elle se remémora la jeune femme, qui l'attirait sans conteste. Elle était si belle! Elle paraissait si gentille et si simple! Cela devait cacher quelque vice, des défauts. Cassandre avait également conscience que ce n'était pas sans un soupçon de jalousie qu'elle s'intéressait à la jeune métisse.

Bon, il était vrai qu'elle-même n'avait pas beaucoup d'amis par ici. Aucun, en fait, et cela au bout de deux mois. Un vrai record! Cela ne lui ressemblait guère. Elle commençait à trouver la solitude lourde à porter. «De quoi vas-tu avoir l'air, ma pauvre fille? D'une asociale en mal d'amour obligée de faire les bars pour quémander un peu d'affection et d'estime? se demandait-elle. Pour une journaliste émérite comme moi...» Non, vraiment, la toute nouvelle vétérinaire était la candidate idéale pour devenir son amie, ici, à Natagamau. Au moins le temps que Cassandre y reste!

La maison des parents d'Olivia n'était pas loin. Elle pouvait s'y arrêter, lui rendre une petite visite... Après un bref échange avec les Beaumerle, elle en repartit. Elle avait appris que la jeune femme partait vivre chez une de ses amies, en attendant d'avoir son propre chez-soi, avait tenu à préciser son père.

«C'est tout près de chez moi en plus!» se congratula Cassandre, comme si elle y était pour quelque chose. «Pas très loin de la librairie de mon chum! remarqua-t-elle au passage. Quelle coïncidence!»

En passant dans le centre-ville, elle aperçut justement la silhouette tonique de la jeune femme, sortant une valise du coffre de son tas de ferraille, un gros sac à dos à l'épaule, visiblement plein à craquer lui aussi. Elle ralentit en arrivant à sa hauteur.

– Salut Olivia, alors tu déménages ? Tu ne pouvais pas le dire ? Je t'aurais hébergée s'il l'avait fallu…

– Ah ! Bonjour ! lui répondit Olivia, passablement surprise de la revoir une fois de plus sur son chemin. Mais qu'est-ce que tu fais là ? Et comment sais-tu pour mon déménagement ? Attends, laisse-moi deviner… Tu n'es tout de même pas passée chez mes parents ?

Olivia était consternée de la persévérance de la journaliste, mais bon, au point où elle en était…

– En tout cas, je ne refuserais pas un peu d'aide. Je crois avoir surestimé la puissance de mes muscles… ton arrivée est providentielle, dut-elle reconnaître. C'est juste là, ajouta-t-elle en lui montrant du menton la porte verte de la maison d'Erika.

– C'est donc ici, au 57 ? Ouais, c'est pas mal ; ça mériterait quelques rénovations, mais je dois avouer que cette maison du siècle dernier a du cachet. Est-ce que ton amie est cette Erika Picsou… Oups ! Picbois, c'est ça ? Celle qui a été étranglée par son chum ? Encore une célébrité potentielle ; même si la ville n'est pas encore tout à fait au courant de l'agression, cela ne saurait tarder. Par contre, tout le monde parle de ce nouveau médecin qui s'installe. Ce n'est pas si fréquent.

Olivia n'arrivait pas à placer un mot. Peut-être n'était-ce pas utile, après tout... Cassandre continuait.

– Erika, c'est ta grande amie d'enfance, d'après ce qu'on m'a dit, hein ?

La ronde journaliste s'était garée, était descendue et accompagnait Olivia sur les quelques mètres qui la séparaient de son nouveau logis. Elles n'eurent guère le loisir de pousser plus loin le monologue. De toute manière, Olivia était plutôt obnubilée par Œil d'Aigle. Elle se demandait si elle le trouverait, dans quel état, et quel accueil il lui ferait... Elle ne souffla mot de ces préoccupations à sa nouvelle «amie». Malgré leurs deux rencontres, elle n'éprouvait toujours pas à son égard la confiance qu'elle aurait dû. Son intuition, certainement. Elle savait s'y fier, parfois. Non, elle ne la sentait pas, c'était clair.

Enfin, au moment où elle posait la valise sur le perron avant de sonner, une vibration se fit entendre, assortie du début d'un *Ave Maria* de la Castafiore (qui ressemblait plus à un sifflement d'oiseau en train de s'étouffer). Cassandre consulta son téléphone portable et dans la seconde lança un «Une urgence, désolée, on s'appelle». Elle remonta dare-dare dans son bolide vert et démarra dans un crissement de pneus, comme à son habitude, vers l'est de la ville. Erika eut à peine le temps de lui glisser un remerciement. Intérieurement, elle se promit quand même de lui donner la fameuse entrevue. Elle lui devait bien ça : elle admirait la capacité de la jeune journaliste à faire le premier pas, cela méritait un petit geste en retour !

En réalité, la simple présence de Cassandre était une pression qui la conduisait à accepter certes, mais également à se débarrasser de ce qu'elle considérait comme une corvée. L'attitude des médias lors de la mort de sa sœur ne l'aidait certainement pas à aller spontanément et aveuglément vers la journaliste de son âge. Quoi qu'il en soit, ce serait fait! Peut-être les trois femmes pourraient-elles faire plus ample connaissance en sortant un soir... histoire de se délasser un peu. Elles apprendraient à connaître un peu mieux Cassandre. Olivia ne pouvait pas fermer la porte tout de suite à une nouvelle amitié, fût-elle sceptique sur son issue. Elle avait appris à apprécier ce bien rare, particulièrement loin de chez elle. Elle n'avait même eu que cela pendant plusieurs années pour la soutenir. Elle comprenait entièrement Cassandre dans son désir de nouer des relations amicales au plus vite!

Lorsqu'elle se retourna, face à la nouvelle demeure de son amie, elle put à nouveau admirer ce qui avait été, à l'origine, une maison ouvrière. En 112 ans, elle avait été agrandie à plusieurs reprises pour se retrouver aujourd'hui avec deux pièces supplémentaires au rez-de-chaussée et une au premier étage. L'habitation était pimpante : on voyait qu'elle avait été repeinte récemment (les poubelles pleines de pots de peinture et de matériaux divers le confirmaient). Elle prit le temps de se rappeler l'intérieur sobre mais coquet, choisi avec soin. Son amie l'avait mise à son aise immédiatement en lui faisant faire le tour du propriétaire. Elle se sentait déjà chez elle. Elle y aimait les meubles en bois sombres ou en cuir, les couleurs chaudes des murs, les discrètes ornementations en spirale au plafond, les chambres mansardées sous les toits...

Elle jubilait encore. D'ailleurs, signe indiscutable d'appropriation, elle avait apporté son télescope, ô combien encombrant. Il la suivait partout, au point qu'il était devenu une sorte d'objet fétiche. Elle se retrouvait aujourd'hui (enfin!) avec une fenêtre sous les étoiles. Peut-être même aurait-elle du temps à consacrer à ce violon d'Ingres aussi vieux que remontaient ses souvenirs d'enfance. Son grand-père l'avait initiée toute jeune à l'astronomie. Il déchiffrait plus que des faits scientifiques, qu'il connaissait parfaitement par ailleurs, dans les constellations, les pluies d'étoiles filantes ou les éclipses en tout genre qui se présentaient.

Elle redescendit sur terre pour actionner le tout nouveau carillon, réflexe de la visiteuse qu'elle ne serait jamais plus en ces lieux.

– Oli! Je ne t'attendais plus! Je rigole... Un café t'attend, avec un carré de chocolat noir, pur remontant prescrit par ton médecin! On prend cinq minutes et on repart?

En effet, le jour déclinait. Œil d'Aigle, Elijah Bélisle, d'après son acte d'état civil, les attendait quelque part près de la rivière, même s'il ne le savait pas encore.

CHAPITRE 12

La décision

Depuis la maison d'Erika, elles n'avaient eu qu'à prendre la Principale vers l'ouest puis, à droite, la rue du Ruisseau, la bien-nommée. La rue était prolongée par un chemin, une fois la dernière maison en bois dépassée ; après, le trajet s'avérait cahoteux et fastidieux. En effet, le chemin de terre n'était pas entretenu ; chaque nid-de-poule dans cette rocaille constituait un véritable écueil susceptible de briser les essieux de la vieille Chevy. De ce fait, le petit kilomètre à parcourir en parut dix.

Enfin arrivées en contrebas de la ville, elles aperçurent un ensemble hétéroclite de maisons préfabriquées et de roulottes crasseuses, qui constituaient ce que les gens du pays appelaient le quartier du Ruisseau. Aucune des deux n'y était jamais venue, et le tableau était pitoyable. Tout de suite à leur gauche, ce qui ressemblait le plus à une habitation permanente attira leur attention ; elles s'y arrêtèrent et descendirent de voiture. Un homme, le gérant de l'endroit probablement, se berçait mollement sur le perron ; il jouait un air lugubre à l'harmonica tout en les regardant de travers. Ne désirant pas s'éterniser, les filles allèrent à l'essentiel aussitôt les civilités échangées. Oui, un certain Bélisle louait une roulotte; non, il ne l'avait pas vu depuis le mois dernier. Elles se pressèrent de revenir vers la voiture pour continuer leur chemin, sans un coup d'œil en arrière.

La mère d'Olivia avait raison : elles avaient non seulement appris que ce « quartier » était originalement un camping – et oui, difficile d'imaginer que ce fut un lieu dédié à la villégiature – mais, en plus, elles avaient retracé leur ami. Elles finirent par trouver le logement d'Œil d'Aigle dans ce hameau de maisonnettes en rangées mal isolées, chauffées au bois et hautement inflammables. Un ancien ruisseau, devenu une rigole, longeait l'endroit. Des enfants jouaient parmi les déchets de toutes sortes, dans l'eau croupie.

Erika pensait à voix haute. Elle rompit le silence lourd qui régnait dans le véhicule bringuebalant :

– Peu de gens doivent vivre ici par choix, sauf pour fuir quelqu'un ou quelque chose. Je m'inquiète pas mal pour Œil d'Aigle…

La journée avait été plus chaude et humide que la veille. L'air bourdonnait du vol des mouches et d'autres insectes. Une bonne dizaine de minutes après avoir quitté le gérant du camping, les deux jeunes femmes arrivèrent devant ce qui devait être la maison de leur ami. Elles y étaient enfin ! L'emplacement qui leur avait été indiqué paraissait à l'abandon. Était-ce le bon ? Il ne se distinguait pas vraiment de ses voisins…

Erika frappa à la porte. Pas de réponse. Elle frappa à nouveau, puis appela :

– Œil d'Aigle ? Il y a quelqu'un ?

Toujours aucune réponse. Allaient-elles abandonner et revenir plus tard? Olivia appuya sur la poignée, sans prendre le temps de consulter son amie. C'était ouvert.

Dans la pénombre, elles distinguèrent un amas de vêtements nauséabonds sur une table, un sol fourmillant de canettes de bière vides et une forme vaguement humaine sur un canapé. Une odeur de sueur rance et de chien mouillé se mêlait aux vapeurs d'alcool.

Erika ne le reconnut pas tout de suite, même à la lueur de l'ampoule maintenant allumée. Plus grand, plus costaud, le visage rongé par une barbe de plusieurs semaines, les cheveux sales et emmêlés, il ne ressemblait vraiment pas à l'adolescent dégingandé qu'elle avait quitté.

Inanimé, le jeune homme était dans un tel état de délabrement, qu'elles ne purent faire autrement que de le porter dans sa douche. Il était toujours silencieux.

– Mmm... furent ses premières paroles.

Il ouvrit un œil, puis l'autre. Ses pupilles s'agrandirent de stupéfaction et il se redressa comme un ressort.

– Qui est-ce qui...? Comment avez...? Pourquoi êtes-vous...?

Visiblement, les questions arrivaient trop rapidement pour qu'il puisse les formuler clairement, mais l'expression de son regard avait changé. Les jeunes filles décidèrent de venir à son secours.

– Bonjour, dirent-elles en chœur.

– Cela nous fait plaisir de te revoir, tu sais, ajouta Olivia.

Trente minutes plus tard, récuré de fond en comble, rasé malgré lui, les cheveux tressés en une longue natte, vêtu d'habits propres, il commençait à prendre figure humaine. Trois tasses de café noir achevèrent de le faire émerger. Les filles avaient respecté son silence, mais elles finirent par ne plus pouvoir s'y tenir. Erika reprit donc sur le même ton naturel que s'ils s'étaient quittés la veille.

– Nous avons eu pas mal de difficulté à te retrouver. Mais maintenant, nous voilà à nouveau réunis. C'est super, non ?

– Bon Dieu ! Qu'est-ce que vous faites là ? Est-ce que je vous aurais téléphoné ? Je ne m'en souviens pas en tout cas… Oh ! Et puis, je n'ai plus vos numéros depuis belle lurette ! C'est complètement surréaliste de vous voir apparaître ainsi, maintenant. Je ne comprends rien. Expliquez-moi…

Erika commença par décrire l'itinéraire personnel de chacune à l'extérieur de Natagamau. Cela prit un peu de temps, surtout avec une Olivia qui ne cessait d'ajouter des détails et des commentaires. Au sujet d'Alexis, cette dernière en profita pour vider son sac. Œil d'Aigle n'osait trop intervenir devant un tel déluge d'information et d'émotions. Il se contentait de hocher la tête et de marmonner avec empathie pour les inviter à continuer.

Après le hors-d'œuvre vint le plat de résistance, le récit des deux dernières semaines… Olivia, visiblement en forme, tout au bonheur de le retrouver, continua la narration, avec l'accord de son amie.

– Nous avons vu ce que nous ne devions pas voir : la livraison d'une sorte de marchandise, par avion en rase campagne, à une cinquantaine de kilomètres de la ville. Nous étions simplement là pour observer les oiseaux, tu t'en doutes, mais ces oiseaux-là nous ont d'abord poursuivies avant d'entrer par effraction chez Rikki et chez mes parents, il y a deux jours, pour tout foutre en l'air, briser, casser... D'après nous, il s'agissait d'un avertissement amical de ne pas chercher plus loin...

— Mais ils ne nous ont pas agressées physiquement, se dépêcha d'ajouter Erika, afin de lever toute ambiguïté. Du moins pas encore...

— Et vous n'avez pas compris l'avertissement ? risqua Œil d'Aigle.

Cette fois, c'est Erika qui reprit :

— Eh bien non, au contraire, même si je dois concéder que c'est un peu enfantin. Cela a piqué notre curiosité, comme à l'époque, ou bien notre fierté, mal placée peut-être. On ne peut laisser faire ça en toute impunité, non ? Nous nous sommes dit que le peu d'information et d'indices dont nous disposons ne pèserait pas lourd devant un policier, pour lancer une enquête. Mais il est évident qu'il y a anguille sous roche, une grosse anguille à notre avis. Alors...

— Alors ? reprit Œil d'Aigle en se doutant de la suite, alors vous avez pensé à moi, c'est bien ça ?

— Oui, évidemment ! rétorquèrent les deux jeunes femmes, de conserve.

Œil d'Aigle regarda chacune de ses amies intensément, puis se prit la tête entre les mains.

— Écoutez ! Est-ce que j'ai l'air d'un vengeur masqué ? Ou d'un super-héros ? J'ai très bien compris où vous voulez en venir. Très franchement, depuis la fin de mon contrat dans les troupes spéciales, il y a cinq ans, c'est allé de mal en pis. Regardez-moi ! Même si je le voulais, je ne suis pas sûr de vous être d'un grand secours. Ma santé s'est détériorée et...

Olivia intervint avec énergie.

– Tu peux nous aider, pour nous, c'est évident. Tu es même notre meilleure chance de résoudre ce mystère. Attention, il n'est pas question de risquer notre vie. Une fois la cueillette d'information effectuée, on donne tout à Jack Cambers et hop! nous arrêtons là!

– Malgré tout ce qui a pu arriver, nous gardons une confiance absolue en toi, renchérit Erika. Tu es notre dernier espoir...

– Tu n'exagères pas un peu, Rikki? Et puis ouvrez les yeux, bon sang! Je ne suis plus l'adolescent fringant que vous avez connu. Je suis usé, sur tous les plans. Je suis une loque!

Elles lui expliquèrent que la décision lui appartenait, même si de leur côté, elles ne voyaient pas à qui d'autre demander de l'aide.

« Certes c'est risqué, il n'y a pas de bon salaire au bout, mais je suis leur dernier espoir », se répétait-il intérieurement tout en sachant que la grande brune, comme il appelait Erika à l'époque, avait probablement caricaturé la situation – c'était son genre, du lyrisme et de l'exagération.

Avant de partir, un peu plus tard dans la soirée, elles lui laissèrent le numéro d'Erika à la maison. À l'instant où elles démarraient pour repartir en ville, il poussa un soupir de soulagement. Sous leur regard, aussi bienveillant pût-il être, il avait ressenti une honte qu'il ne voulait pas revivre. Mieux valait retourner dans l'ombre. Il ne se sentait pas bien, mentalement et physiquement. Il lui fallait du sucre... et un peu plus, pour se remonter. Sa gorge était aussi sèche qu'un papyrus... Avaient-elles laissé une bouteille ? Instinctivement, il tourna la tête vers le placard.

Alors qu'il se servait une bonne rasade de vodka, il admit que c'était une chance, pour lui aussi, de les revoir. Peut-être ne lui manquait-il qu'un défi comme celui-là... S'il ne se battait pas pour les deux seules amies qu'il eût jamais, à quoi bon continuer à vivre ? Il n'avait plus personne !

– Un pour tous, tous pour un ! murmurat-il dans un soupir, une esquisse de sourire aux lèvres...

Il était trop fatigué pour pousser la réflexion plus loin. Il s'affala sur son canapé et s'endormit d'un coup. Il rêva comme il ne l'avait pas fait depuis longtemps, d'un personnage qui appartenait à son enfance évidemment révolue. Mais oui ! Il rêva de Peter Pan. Il était Peter Pan. L'action se passait sur le bateau du capitaine Crochet. C'était le fameux épisode où Peter vient secourir Wendy et les autres enfants au péril de sa vie. Il est fait prisonnier lui aussi. Une mort atroce l'attend... au bout de la planche de Crochet. Et il en était là. La scène se déroulait en boucle, sans répit. Que le temps lui paraissait long !

Un crocodile gigantesque avait ouvert sa gueule monstrueuse juste à quelques pieds au-dessous de lui. Œil d'Aigle hésitait, il hésitait... sentant la pointe du sabre de Crochet le pousser chaque fois un peu plus loin, vers l'extrémité de la planche. Cependant, à ce moment précis, il n'avait pas l'assurance du Peter de cinéma. Il n'était pas certain de pouvoir voler à nouveau et s'échapper des crocs voraces du crocodile qui avait déjà avalé la main de Crochet. Il doutait que la magie revienne et le sauve… et les sauve tous. Œil d'Aigle avait peur de ne pas y arriver et, plus que tout, de perdre ses amies retrouvées. La planche assurerait-elle son salut ou sa mort ?

CHAPITRE 13

À nos débuts !

Mardi 16 juin, 7 heures du matin. « Ce sera un jour mémorable », pensait Olivia en venant s'asseoir à la table de la cuisine pour déjeuner. L'ambiance était au beau fixe. À l'extérieur, l'air était moins humide, la température juste assez fraîche pour réveiller l'organisme ; bref, le temps était splendide.

— Salut Rikki, lança-t-elle à son amie déjà en train de boire son café. As-tu bien dormi ?

— Ouais, pas mal, j'ai repensé à Œil d'Aigle…

Olivia n'attendait que cela pour continuer.

— Oui, moi aussi, mais pas en mal. Cette soirée m'a laissé un agréable souvenir, malgré la tristesse de le voir en si piètre état, je dois le reconnaître. Il est resté quelque chose entre nous, je crois.

— En tout cas, l'image de lui que j'avais gardée en a pris un coup…

— C'est vrai, mais il reste beau gars… Ah ! Pour changer de sujet, tu sais la lettre que j'ai trouvée dans la boîte hier soir en rentrant, je l'ai ouverte au réveil : c'est la banque qui accepte ma demande de crédit professionnel ! Super, non ? Mes parents ont dû se porter garants, elle consent à me prêter la somme dont j'ai besoin pour démarrer. Je vais pouvoir payer mon équipement plus rapidement que prévu. J'accepte ton offre...

– Ah ? Ouais, d'accord, écoute, elle tient toujours.

– Alors, j'ai décidé de partir aussitôt que possible ce matin afin d'arriver à Val-d'Or en début d'après-midi et de commander une partie de mon matériel, histoire de parer au plus pressé. Est-ce que tu pourrais m'amener à la station d'autobus ? Si je prends la voiture de mon père, je vais l'achever ; elle ne pourra survivre à un périple de 1 000 km en 24 heures !

Erika n'était pas très étonnée par l'initiative de son amie : elle était du genre à réagir rapidement.

– OK, mais il faudra faire vite, je ne veux pas commencer mes consultations en retard. Au passage, j'aurais moi aussi besoin de quelques petites choses, si tu pouvais aller les chercher, cela écourterait le temps de livraison...

– D'accord, pas de problème. Ah ! Mon père a également passé quelques coups de téléphone à des amis. Il devrait y avoir quelques travaux supplémentaires, si tu es d'accord. Comme tu m'avais proposé et le solarium et la remise pour m'installer...

Erika se mordit les lèvres pour ne rien ajouter. Cependant, elle se jura de profiter du trajet qui les menait au terminus pour en savoir plus long sur les dites transformations. Elle connaissait suffisamment Olivia pour savoir que le sujet serait immanquablement abordé. En effet, les deux filles revinrent sur l'opportunité que constituait la place vacante de vétérinaire dans la région.

— C'est vrai, précisait Olivia, je profite de la disparition du vieux Jethro, qui tenait d'ailleurs autant du chaman que du vétérinaire. Il occupait une fonction essentielle dans notre communauté. Les animaux sont considérés comme une composante de la Nature aussi importante que l'être humain ; traditionnellement, nous vivions en symbiose avec eux, y compris dans des activités comme la chasse et la pêche, aussi longtemps qu'il s'agissait de prélever intelligemment ce qui était nécessaire pour vivre... Aujourd'hui, ces traditions restent...

— Sans parler des animaux domestique : des chevaux et des bœufs, des chèvres et des moutons, beaucoup de chiens et de plus en plus de chats. Tu ne devrais pas manquer de travail. Ton carnet de rendez-vous se remplira vite... Grâce à une annonce dans le journal, à quelques affiches et à un peu de bouche à oreille, tu pourras certainement commencer à exercer très bientôt...

— Mais, c'est bien mon intention, confirma Olivia.

— Qui eût dit, il y a deux semaines, que cela irait si vite, et dans ta ville natale, de surcroît ?

— J'ai toujours eu l'intention de revenir de toute façon... Mais, là, j'y ai réfléchi, c'est vraiment faisable, surtout avec 90 mètres carrés : je vais utiliser la remise comme espace polyvalent, pour l'accueil, les consultations et les examens ; moyennant une insonorisation bien faite ; le solarium – 20 mètres carrés de plus – servira à l'hébergement temporaire des petits animaux. Je ne prévois pas d'hébergement long pour l'instant...

— Tu m'en vois heureuse ! J'espère qu'il n'y aura pas trop d'inconvénients, parce que...

— Attends, ce n'est pas fini : le vide sanitaire de la maison, que tu emploies déjà pour tes cantines de voyage parce qu'il est bien isolé et sec, pourra entreposer mes fournitures aisément.

— J'avoue qu'il y a encore beaucoup de place...

— Parfait, tu vois ? Je vais aménager ta grande remise de telle manière qu'à plus long terme, je puisse avoir mon propre bloc chirurgical, orthopédique et ophtalmologique, ainsi qu'un local de radiologie, d'échographie et d'endoscopie. Je te montrerai le dessin que j'ai fait. Je pense que je pourrais être opérationnelle d'ici deux semaines.

— Et... euh... Ça ne va pas un peu trop vite ? Maintenant, Erika était sceptique devant l'ampleur des projets de son amie. Quand penses-tu être en mesure de recevoir tes «patients» ? Installer cloisons, plafond, portes, isolation thermique et phonique ; faire tous les branchements et les finitions du sol et des murs, les travaux peuvent durer des semaines...

— Tu ne dois pas te souvenir très bien de mon père. Non seulement, il est assez habile pour tout faire dans une maison, mais il m'a promis de mettre le paquet, avec tous ses amis comme lui retraités. Je dispose en lui d'un vrai maître d'œuvre !

Ainsi alla la discussion avant qu'Erika ne dépose Olivia à la gare d'autobus. Elle même avait son premier rendez-vous quelques minutes plus tard. Malgré le cambriolage, elle n'avait pas voulu l'annuler. L'après-midi serait libre, sans rendezvous. Elle avait pu être dépannée par l'hôpital et la pharmacie pour à peu près tout, en attendant le retour de la commande qu'Olivia rapporterait.

Quinze minutes plus tard, Olivia montait dans l'autobus Greyhound. Le trajet lui laissa amplement le temps de réfléchir à ses retrouvailles, d'abord avec Erika, puis avec Œil d'Aigle. Ses pensées s'attardèrent sur ce dernier. Pour un homme en pleine déchéance, elle le trouvait encore pas mal... Une fois lavé, rasé, coiffé et parfumé – pour masquer l'odeur prenante d'alcool que son corps exsudait et qui flottait dans l'air autour de lui. Mais oui, plutôt à son goût! Se remémorant ses dernières années de secondaire, elle dut admettre qu'elle avait plus ou moins consciemment oublié un détail : elle était amoureuse de lui à l'époque.

*   *

*

Ayant décidé de ne pas déranger Erika pendant sa journée de travail, Olivia avait demandé à sa mère de venir la chercher à sa descente d'autobus, au retour. La journée et la (courte) nuit passée à Val d'Or étaient passées rapidement, à acheter les nombreux instruments nécessaires : un stéthoscope électronique, différents systèmes portables bien utiles dans les visites, de la radiologie numérique à l'échographie – avec sonde rectale bovine et équine – en passant par un moniteur de poche *Animap*; de petits outils bien pratiques, comme une tondeuse, un détartreur et du matériel de dentisterie animale. Pour le reste, il avait fallu passer commande : une table de consultation dernier cri – aux sangles modulables, s'il vous plaît – différents meubles, tels que des tables Mayo, une desserte informatique et des armoires; pour finir, en vrac, un brancart avec sangles, des pinces de capture, un microscope trinoculaire, des éclairages d'opération, un matelas chauffant biface et un autre anti-escarre, et un laryngoscope.

À nos débuts!   97

« Ai-je oublié quoi que ce soit dans cette liste à la Prévert ? se demanda-t-elle à voix basse plusieurs fois sur le chemin du retour. Ah ! Les médicaments et les fournitures de soin ? C'est bon, ils arriveront eux aussi. Merci à la pharmacie spécialisée Boileau. »

Un battement de cils plus tard, elle était à nouveau sur le chemin de terre...

Sa mère interrompit ses pensées lorsqu'elle arrêta le moteur du pick-up pour stationner devant la maison. On était le mercredi 17 juin. La jeune métisse était un peu en retard sur ses plans, mais elle avait obtenu tout ce dont elle avait besoin et à un prix inespéré.

À l'intérieur, Erika se détendait, assise en tailleur sur son fauteuil, absorbée par la lecture d'un roman. En fait, elle l'attendait.

— Salut Rikki ! Désolée, je voulais arriver un peu plus tôt... Ça va bien ? Alors, ces deux premières journées de travail ?

— Mouais, salut, je te raconterais bien les détails croustillants, c'était vraiment pas mal. Je suis contente, mais un peu trop fatiguée pour en parler maintenant... Demain, c'est promis. Et toi, alors ?

— Et bien, j'ai pu obtenir tout ce que je voulais, du matériel d'une qualité exceptionnelle. La moitié de l'équipement, comme la table de consultation et les systèmes portables, arrivera avant la fin de la semaine. Dans certains cas, le magasin doit le faire venir de Montréal...

— Excellent, excellent.

— Pas de nouvelles d'Œil d'Aigle ? s'enquit Olivia.

— Rien.

— Eh bien, je pensais que notre visite éclair et le traitement de choc que nous lui avons fait subir auraient entraîné une réaction plus prompte et positive…

— Laissons-lui quelques jours, il revient de loin ; pourquoi ne pas réfléchir à un plan B et profiter de la nuit qui arrive ? Tu connais le dicton… Mais, s'il ne nous appelle pas d'ici deux jours, pour moi, c'est sûr : il y aura un problème.

— OK, concéda Olivia, qui n'avait en fait qu'une envie, malgré la fatigue et les courbatures de nombreux kilomètres : repartir dans le quartier du Ruisseau pour finir la job.

Erika enfonça le clou, comme si elle avait lu dans ses pensées.

— Allons nous coucher ! C'est à lui, Oli, de trouver la volonté de s'en sortir ; faisons-lui confiance. Il sait que nous sommes à nouveau là pour lui, si besoin est. Il peut nous contacter s'il est en difficulté. Comme dit le poète, « laissons le temps au temps ».

CHAPITRE 14

Le plan d'attaque

Une explosion de lumière vint s'imprimer sur la rétine d'Œil d'Aigle, lui arrachant un râle pâteux accompagné d'une piètre tentative pour étirer le bras jusqu'à l'unique fenêtre de sa cabane. Il était trop loin pour en fermer le store de toute façon. Même à jeun, le grand gaillard n'aurait pu l'atteindre ; il s'en serait souvenu sans les deux bouteilles de vodka qui l'avaient jeté sur son lit tout habillé – et pas lavé – la veille au soir.

Bis repetita placent, lui sembla hurler une voix stridente à ses oreilles, alors qu'une bassine d'eau glacée lui tombait dessus. Le choc thermique lui coupa la respiration, au point de l'empêcher de crier. Il se leva alors d'un bond avant de tituber, tel un marin qui mettrait pied à terre après un voyage au long cours. Ça tanguait dur, ce qui ne l'empêcha pas de se jeter vers l'avant pour frapper la première créature qui se présenterait... À la dernière seconde, il se retint en voyant que ladite créature n'était autre qu'Erika. Olivia se tenait à ses côtés, muette de stupeur devant un tel spectacle. Il retomba assis sur la banquette qui lui servait de lit, en se prenant la tête entre les mains. Erika brisa le silence.

– Ho, là! On se reprend! J'ai cru un instant que tu allais me tuer! Tu te rappelles de nous? Nous sommes ici pour t'aider. Il est vrai que ma méthode de réveil manquait de diplomatie. Toutes mes excuses.

– Rikki, je crois que nous avons un peu sous-estimé son état, non? lança Olivia, ignorant par là-même le jeune homme.

– En effet, compléta le jeune médecin, qui était sur la même longueur d'onde, on arrête le café et la douche froide; c'est insuffisant. Je peux le référer au centre de désintoxication, en espérant qu'il puisse être glissé entre deux autres patients. Le centre est déjà plein en temps normal, comme tu le sais. Mais qui ne tente rien n'a rien! Il va falloir commencer par là. En insistant lourdement, je crois que je pourrais lui trouver une place pour une semaine, le temps de briser sa routine d'alcoolique. Je peux passer un ou deux coups de téléphone...

– Œil d'Aigle, es-tu d'accord? Si nous comptons pour toi, laisse-nous le faire. À toi de parcourir le reste du chemin; cela te laissera le temps de réfléchir peut-être à ce que nous t'avons proposé.

* *
*

Ainsi fut dit, ainsi fut fait. Œil d'Aigle avait-il le choix devant pareilles volontés? La semaine passa vite pour les deux jeunes femmes. Que de belles journées ensoleillées, où la routine prit pour la première fois le pas sur l'excitation de ce qui allait suivre. L'air tiédissait pour de bon. Les gens se décontractaient à l'approche de la saison chaude. Olivia avait tranquillement démarré avec quelques visites dans des fermes, et le suivi médical de quelques chiens et chats du voisinage.

Ce dimanche-là, d'ailleurs, seule la jeune métisse était dans la maison, tout au plaisir de pratiquer un enchaînement gymnastique et respiratoire qui lui avait été enseigné lors d'un séminaire de yoga, à Québec. Le téléphone sonna. Le rythme cardiaque d'Olivia s'accéléra lorsqu'elle vit le numéro affiché sur son écran : c'était celui du centre de désintox !

– Allô ! C'est Œil d'Aigle. Je suis d'accord. Je vais essayer de vous donner un coup de main. Je pense que c'est une drôle d'idée, mais bon... si je ne viens pas, le Club des quatre ne restera qu'un souvenir condamné à disparaître. Et personne ne le souhaite, n'est-ce pas ?

Encore sous le coup de ce que signifiait la nouvelle, Olivia n'eut même pas le temps de placer un mot. Œil d'Aigle continuait :

– Je quitte le centre aujourd'hui, avec l'accord de mon responsable. J'ai quelques démarches à faire dans la journée. Pourquoi ne viendrez-vous pas ce soir chez moi prendre un verre... de tisane ?

– OK ! On va s'arranger, j'en parle à...

– Excellent ! Ah ! un détail : merci beaucoup, vraiment ! J'en suis pas encore sorti, mais j'ai franchi un premier pas, grâce à vous. Je compte bien continuer ; je vais avoir encore besoin de vous... À tantôt !

Il raccrocha avant que la jeune femme puisse ajouter autre chose. Elle annonça la nouvelle à Erika dès son retour à la maison, en fin d'après-midi. Cette dernière ne vit évidemment aucun inconvénient à ce qu'il reprenne une vie normale, dans la mesure où il le voulait vraiment... et où il en était capable.

Deux heures plus tard, elles étaient devant la maison mobile de leur ami. Le contraste était saisissant. Aucun déchet par terre ! Plus de mauvaises herbes ! Une petite allée de graviers blancs menait jusqu'à la roulotte, maintenant flanquée de deux auvents. Œil d'Aigle les attendait sous l'un d'entre eux, assis tranquillement sur l'une des trois chaises de jardin, apparemment neuves, qui en occupaient l'espace. Une table décemment garnie pour un apéritif – sans alcool, nota Erika – trônait au milieu de tout cela.

— Est-ce qu'il a repeint sa caravane ? chuchota Erika à son amie.

— Je crois bien, à moins qu'il ait simplement tout nettoyé ! susurra une Olivia impressionnée.

Chez Œil d'Aigle, un *je ne sais quoi* avait changé. Il semblait même moins bouffi. « Il est vraiment mignon », songea Olivia, l'espace d'un instant.

— Bonsoir les filles ! Vous avez remarqué, pas une bouteille d'alcool à l'horizon. Je m'excuse, mais je ne peux supporter d'en voir une et j'ai encore trop peur de craquer. Tant pis pour le côté social ! Nous partagerons jus de fruit et eau pétillante... Alors, vous avez réfléchi à un plan d'attaque ?

— Ah ! Tu n'y vas pas par quatre chemins... Est-ce que nous pouvons nous asseoir, quand même ? badina Erika, sur le même ton taquin.

— Bien sûr, bien sûr, je manque à toutes mes obligations. Princesse Olivia, par ici s'il vous plaît... Princesse Erika, par-là...

Leur complicité revint ce soir-là. Il avait finalement suffi de peu de temps pour briser la glace entre eux. Ils retrouvèrent avec délectation leur profonde amitié d'antan. Toutefois, ils n'oubliaient pas la raison première de cette charmante réunion, à savoir déterminer une tactique face aux cambrioleurs.

La proposition d'Œil d'Aigle arriva assez tard – suspense garanti! – peu avant le départ des jeunes femmes, en vérité.

– Oli, Rikki, je vous propose donc de... continuer à ne rien faire.

– Euh! objecta Erika, cela me paraît... un peu gros! C'est ça le résultat de ta semaine de cogitation? «C'est un peu court, jeune homme», dirait Cyrano.

– D'accord, je vais expliquer. Ne rien faire, mais seulement pour une semaine. Il faut les endormir, leur laisser croire que vous avez obéi à l'avertissement. Ils relâcheront leur surveillance. Ils baisseront la garde... et là, nous frapperons, enfin, façon de parler. On se donne rendez-vous dans une semaine à la gare ferroviaire? Chacun arrive de son côté afin de pas attirer l'attention. C'est assez éloigné de la ville. Et de là, nous pourrons nous rendre ensemble sur le lieu du largage afin de trouver des indices. Alors, qu'en dites-vous?

– En tout cas, ta tactique ne va pas bouleverser notre vie dans l'immédiat, c'est le moins qu'on puisse dire... Pour ma part, je me sens prête à l'appliquer, sans problème.

– Oli a bien résumé ma pensée. Tope-là! Nous verrons bien la suite.

CHAPITRE 15

Feinte… et touche!

Les trois amis n'avaient pas eu besoin d'arrêter tous les détails. Ils se comprenaient à demi-mot. Chacun savait ce qu'il avait à faire en ce chaud début de juillet. La promesse qu'Olivia avait faite à Cassandre Hautclair n'était plus qu'un souvenir lointain. En effet, sa vie s'était soudainement remplie de personnes et d'évènements beaucoup plus importants à ses yeux. Le flot de la vie l'avait happée pour de bon.

La jeune vétérinaire continuait d'organiser sa nouvelle vie : en premier lieu, rapporter ce que le vieux Jethro lui laissait de récupérable, puis installer le nouveau matériel. La commande venait d'arriver. Le petit groupe d'ouvriers autour de François Beaumerle avaient travaillé d'arrache-pied afin que les locaux soient utilisables, à défaut d'être totalement finis et aux normes. En second lieu, elle se devait de faire un peu de publicité, comme convenu et enfin, de rencontrer certains gros clients potentiels, notamment des éleveurs de bétail. Ah! Sans oublier de manger un soir sur deux chez ses parents, qui ne s'étaient pas encore remis du cambriolage – en y repensant, après coup, ils avaient eu une grosse frayeur. Elle trouva encore le temps de voir quelques vieilles connaissances. Rien que de très agréables moments, en somme.

Quant à elle, Erika apprivoisait sa clientèle. Elle voyait près de 80 patients par semaine, cela lui paraissait énorme. Elle avait parfois l'impression de travailler à la chaîne. Pourtant, elle se faisait un réel plaisir de rencontrer ses patients. Chacun ayant son histoire personnelle, elle suivait ainsi un feuilleton dont chaque épisode apportait du nouveau; ce n'était jamais pareil. Elle découvrait son métier au fil des personnes. Il lui fallait observer, interroger, déduire, faire des hypothèses et essayer de trouver des solutions. Elle trouvait cela exaltant dès qu'elle avait le temps d'y réfléchir, ce qui était rare.

Elle fut appelée à l'extérieur deux fois pour des urgences : un accident chez une vieille dame qui, en tombant dans l'escalier, s'était cassé le col du fémur – fait assez courant dans cette tranche d'âge et qui pouvait s'avérer sérieux – et un accident de la route sanglant, mais avec un dénouement heureux. Une conductrice qu'il avait fallu désincarcérer et transporter de l'hôpital de Natagamau à celui, mieux équipé et plus spécialisé, de Val-d'Or, avait survécu contre toute attente. C'était un bon début, à n'en pas douter.

Le soir, après le travail, la vie normale lui semblait calme, presque monotone. Cela tenait grandement au caractère plus social d'Olivia et au fait qu'elle était native de la région; elle avait toujours une relation à visiter, un ami avec qui boire un verre. Elle s'absentait plus souvent qu'Erika ne l'aurait voulu. Malgré un léger sentiment de solitude qui affleurait par instants, la grande fille brune savait qu'existait entre elles un lien indestructible, une véritable osmose. Elle y croyait définitivement, une histoire de chimie, sans doute... Elles s'entendaient bien tout simplement. Ainsi, la vie à la maison s'organisait tranquillement. Elle se fit la réflexion que c'était la meilleure des choses qui pouvait lui arriver.

Œil d'Aigle, quant à lui, fit presque tout comme à son habitude : dormir, manger, dormir, manger, etc. Mais, avec une nuance importante : depuis le retour des deux filles dans sa vie, il était entré dans une phase rationnelle. Avec la raison triomphante, l'homme d'action et d'initiative commença à reprendre le dessus. D'abord, il avait retranché l'alcool, un élément de poids, du jour au lendemain. Il savait que cela pouvait se faire, il avait lu des témoignages dans ce sens. Sagement, il réduisit la cigarette sans pour autant arrêter de fumer. Puis, pour faire bonne mesure et contrebalancer ces moyens draconiens, il ajouta deux ingrédients. Ainsi naquit ce qu'il appelait avec ironie « le programme de réhabilitation du contrevenant ». Un, de l'activité physique pour se remettre en forme au plus vite ; deux, la préparation d'un matériel d'extérieur (tente, lampe-torche, couverture, réchaud, etc.), dont son intuition lui disait qu'il aurait besoin dans un futur proche... Ce serait déterminant, il le savait. Toute son attention était désormais là-dessus. Il y consacra donc tout son temps et toute son énergie. Une semaine après l'autre, cela avait toujours été sa manière de faire, avant... Une étape à la fois et des objectifs à court terme, l'un après l'autre, posément, en faisant travailler ses ondes alpha.

Il avait été convenu qu'ils ne s'appelleraient ni ne se verraient, sauf en cas d'extrême urgence. Tout se passa comme prévu, tranquillement. Le rendez-vous arrivait maintenant à grands pas.

*   *
*

Le jour se leva sur un dimanche lumineux. Un soleil radieux laissait présager les meilleurs résultats possibles dans leur recherche. Olivia conduisait le pick-up rouillé, en route vers la gare de train. De temps à autre, elle jetait un regard dans son rétroviseur afin de s'assurer que, cette fois-ci, elle n'était pas suivie. D'ailleurs, se pouvait-il que tout soit oublié, qu'elles ne soient plus surveillées ? Dans ce cas, leurs précautions relevaient de la simple paranoïa… Après tout, quel danger représentaient-elles ? Une secousse vint interrompre ses pensées, lorsque les vieux pneus Bridgestone qui ornaient les roues de son tas de ferraille croisèrent le chemin d'un nid-de-poule. La jeune femme se concentra à nouveau sur la route.

De son côté, Erika réfléchissait au fameux plan d'action. Il était maintenant vraiment en marche. Revenir en arrière serait difficile, voire impossible. Le but de la manœuvre était de faire croire qu'elles partaient à Val-d'Or en train. C'est pourquoi, très tôt, elles avaient ostensiblement effectué quelques menues emplettes pour donner le change et faire croire à une excursion d'une journée. Elles s'étaient ensuite retrouvées sur la route du Sud.

Depuis, elles roulaient vers le bâtiment centenaire et décati qui servait de gare ferroviaire. Elles s'y arrêtèrent, prirent un billet aller-retour pour Val-d'Or. Puis, elles firent semblant de prendre le train. Comment? Tout simplement en rentrant dans un wagon par un côté et en sortant par l'autre! Aussi discrètement que possible, elles allèrent se cacher derrière une cabane de chantier, de l'autre côté de la voie ferrée.

Quelques minutes plus tard, le train partit. Les secondes passèrent sous le soleil qui montait à l'horizon. Le silence était seulement interrompu par les cris stridents des grillons. La journée allait être chaude.

Tout à coup, un sifflement leur parvint. Tournant la tête, elles virent Œil d'Aigle qui leur faisait des signes. Il était à l'écart. Derrière lui se trouvait un des plus gros 4x4 qu'elles aient jamais vu. Muni de pneus extra extra larges, il était surélevé, aussi long qu'un wagon et peint aux couleurs de camouflage de l'armée, sable et noir. Il leur fallut presque une échelle pour y monter. Olivia s'en étonna :

— Dis donc, d'où sors-tu cet engin? Tu nous l'avais bien caché...

— Oh! C'est une babiole que je me suis payée alors que j'étais encore dans l'armée. Nourri, logé, blanchi, avec une prime pour les missions à l'étranger, je mettais de l'argent de côté, voilà tout! Je l'ai peu utilisé en réalité; depuis mon retour, je l'ai laissé dormir dans un vieux hangar que je loue pour des pinottes. J'ai décidé de lui faire prendre l'air pour l'occasion, une bonne idée, non?

— Effectivement. Allez, montre-nous ça en action, rétorqua Erika. Nous avons hâte que tu voies le «lieu du crime». *Go West!*

Deux heures après, ils admiraient le panorama, du surplomb rocheux où elles avaient été trois semaines plus tôt. « La vue est splendide », remarqua Œil d'Aigle. Le lac Inconnu s'étirait vers le nord et l'est. Tout autour, à perte de vue, ce n'étaient que plaines herbeuses et rochers perdus, vigies immobiles au milieu de cet océan d'un vert clair tirant encore sur le jaune aux endroits moins exposés.

Ils descendirent vers la rive où les jeunes femmes avaient aperçu la bande. Ils allaient chercher le moindre indice permettant d'identifier les individus qui la composaient. Ils ne furent pas étonnés de voir que peu de monde venait par ici. Les empreintes de pneus et de pas étaient d'autant plus nettes qu'il pleuvait le jour du largage. Heureusement pour eux, depuis lors, le beau temps avait permis aux traces de sécher.

— Pour ce qui est des bottes, est-ce que l'un de vous peut conclure quoi que ce soit ? Moi, je n'y connais rien, lança Erika.

— Moi non plus, répliqua Olivia.

— Elles me paraissent assez standards : de grandes tailles, pour homme, comme vous vous en doutiez. Rien d'extraordinaire ! Ils étaient une dizaine, me semble-t-il, peut-être un peu moins… Je ne suis pas assez compétent pour vous donner les modèles. Il faudrait être Sherlock Holmes ! En ce qui concerne les pneus, là je crois que nous pourrons recueillir pas mal d'information, notamment le nombre et le type de véhicules. Laissez-moi faire ! Cherchez des indices d'une autre nature. On peut se retrouver d'ici trente minutes, OK ?

Il ne leur laissait pas vraiment le choix. Il était déjà parti, à demi penché vers le sol. La demi-heure se transforma bientôt en heures. Lorsqu'ils revinrent au centre du périmètre qu'ils avaient défini, Olivia affichait une mine victorieuse.

– Regardez ce que j'ai trouvé ! Elle ouvrit sa main droite avec fierté. Cinq mégots de cigarette tachés de boue s'y tenaient.

– OK ! OK ! fit Erika, assez peu impressionnée, mais n'ayant rien de mieux. Il faudra chercher les marques et le type de tabac...

– Mais, ce n'est pas tout ! Elle ouvrit la main gauche, qu'elle avait volontairement gardée fermée. S'y trouvait un pendentif, probablement détaché de sa chaîne à l'insu de son propriétaire.

Il ressemblait à une petite médaille honorifique, du genre qu'on offre au quatrième d'un tournoi, comme lot de consolation. Une inscription y était gravée : *Club de chasse de Natagamau.*

– Belle trouvaille ! avoua Erika, admirative. Bon, il est vrai que je ne vois pas tout à fait le rapport entre ces soi-disant chasseurs et les colis tombés du ciel...

– Vraiment pas mal, en tout cas ! On fait une équipe du tonnerre ! ajouta Œil d'Aigle. Nous savons dorénavant où les trouver, c'est une bonne base. Grâce à l'analyse des traces de pneus que j'ai relevées, nous devrions avoir des précisions sur les types de véhicules qui sont passés par ici. Je dois la faire à tête reposée, avant de passer chez le garagiste à l'entrée de la ville, pour confirmer un ou deux petits détails. Je vous téléphone demain ?

Erika et Olivia échangèrent un bref regard voilé d'inquiétude : devraient-elles retourner dans le quartier du Ruisseau pour administrer une autre douche froide à leur ami ?

CHAPITRE 16

Morne semaine

En ce lundi matin, Œil d'Aigle se réveilla seul dans sa caravane délabrée, assailli par une envie d'alcool qui lui laissait la gorge si sèche qu'il avait de la difficulté à déglutir. Il savoura moyennement un jus dont la date de péremption était de toute manière passée.

Il avait maintes raisons d'être satisfait par ailleurs. Il se sentait rempli de joie... et de fierté. Il avait tout de même réussi à refaire surface et il sentait que c'était pour de bon, qu'il ne lâcherait pas cette fois-ci... tant que les filles seraient là, en tout cas. Il avait conscience de ce que sa réussite devait à la présence de la blonde Olivia et de la brune Erika. S'il était toujours sans travail, la mission de les épauler dans leur petite investigation sur le largage illégal auquel elles avaient assisté malgré elles, n'était pas pour lui déplaire : ça l'occupait.

La première étape de leur plan s'était très bien déroulée. Trop bien, peut-être... Enfin... Le retour en ville avait été discret, à la tombée de la nuit. Sur le chemin de la gare, assez inconfortablement assis dans le 4x4, les trois amis avaient fait la liste des indices dont ils disposaient. Ne pouvant faire plus en cette fin de journée, ils avaient convenu de se retrouver plus tard dans la semaine, quand ils le pourraient, à moins que des nouvelles fraîches ou une urgence se présentent. Œil d'Aigle se chargerait d'ici là de réfléchir aux dits indices, puis de faire un tour au Club de chasse de Natagamau. Le trio déciderait alors ce qu'il conviendrait de faire.

En réprimant une grimace de dégoût, Œil d'Aigle finit son verre et relut la liste. Il aimait bien écrire les choses pour y réfléchir : à plat, sur une feuille, il les visualisait mieux.

1) *Le médaillon du Club de chasse de Natagamau.*

2) *Les traces de pneus de 8 véhicules : cinq 4x4, deux pick-up et un camion de type van.*

3) *Cinq mégots de cigarettes, des Palboro principalement et un autre, indéterminé. Peut-être n'y avait-il qu'un fumeur...*

4) *Des empreintes de bottes, masculines a priori. Une dizaine.*

Pour les empreintes de bottes, il n'était pas sûr de pouvoir faire grand-chose. Il n'avait pas noté de différences très nettes entre elles. En revanche, Œil d'Aigle avait reconnu assez rapidement le type de véhicules associés aux pneus. Pour les voitures comme pour le reste, il y avait des modes, en particulier dans la région. Certaines grosses voitures, du genre camions, *vans* ou 4x4, adaptés aux pistes mal dégrossies que l'on trouvait dans les environs, avaient la faveur de la population... Camions

RAM ou camions Ford, les gens achetaient tous plus ou moins les mêmes types de marques, il suffisait de se tenir un peu au courant.

* *
*

Erika trouva enfin le temps de téléphoner à sa mère sur l'heure du dîner. Cette dernière lui reprocha de ne pas l'avoir fait plus tôt, pendant la fin de semaine, comme à son habitude. En fait, depuis la tentative de meurtre, la jeune femme avait progressivement espacé les appels et ne donnait des nouvelles que le samedi matin. En tout cas, il n'était pas question de tout lui raconter.

– Je vais bien, maman. En fait, je suis assez occupée, tu sais, j'ai déjà une clientèle... Je vois en moyenne 15 patients par jour depuis que j'ai ouvert. C'est tellement fatigant que j'ai à peine la force de lire quelques pages le soir avant de dormir. C'est incroyable, non ? Et puis, avec Olivia, la cohabitation se passe très bien, un peu comme si nous ne nous étions jamais quittées et...

Sa mère l'interrompit sèchement.

– Qui sont tes patients ? Est-ce qu'ils ont assez d'argent pour te payer ? Je n'ignore pas que c'est très pauvre dans ces endroits, et rempli de gens à problèmes. Cela n'a pas dû changer tant que cela, depuis l'époque où nous y habitions. Est-ce qu'ils te payent au moins ? Ils vivent tous du « BS » et ne te paieront qu'à la saint-glinglin, une fois par an, ou alors en nature comme au siècle dernier ! Et tu crois gagner décemment ta vie là-bas ?

– Mais, je… Ce n'est pas vrai. Et puis, ce n'est pas si important pour le moment. Je n'ai pas de doutes que tout ira bien de ce côté-là.

– Ah ! Tu crois ! Mais, nous nous faisons du souci, ton père et moi… Quand reviens-tu ?

La fin de la discussion avait été plus que rugueuse. Erika n'était pas certaine que sa mère la comprenne. Ou peut-être la jeune femme la comprenait-elle trop bien : elle avait accompli finalement ce que la génération précédente n'avait pas eu le cran de faire dans sa jeunesse. Maintenant, cette dernière semblait le lui reprocher, avec une mauvaise foi qui rendait toute reconnaissance difficile. Comment Erika pourrait-elle jamais la satisfaire dans ces conditions ? Pour clore le tout, elle lui avait annoncé nonchalamment qu'Alexis avait téléphoné à la demeure familiale, depuis la prison, et donné sa version des faits (en pleurant – *pauvre lui !*)… Bref, elle n'avait pas eu le cœur de lui refuser son aide : elle était allée le consoler en prison, en attendant qu'il passe devant le juge et qu'il se réconcilie avec Erika, ce qui ne tarderait pas, selon elle !

Même si la grande fille brune aux reflets auburn avait décidé de prendre ses distances – et pas seulement géographiques – avec ses parents, cette dernière initiative l'agaçait au plus haut point. Savoir que sa mère la vouait aux gémonies tandis qu'elle réconfortait Alexis, c'était le monde à l'envers ! Cela vint ternir son début de semaine. Entre deux patients, elle ruminait des idées noires. Elle doutait. C'était vrai, elle travaillait, mais ferait-elle carrière ici ? Son avenir était-il vraiment à Natagamau, ou voulait-elle s'en convaincre ? Elle ne le savait plus très bien, mais ne pouvait s'en ouvrir à personne en ce moment, car elle ne faisait que croiser Olivia. Elle se sentait seule, voilà la vérité !

Quelques heures plus tard, Erika raccompagnait son dernier patient. La journée avait été assez occupée, merci ! « Et ce n'est qu'un début, se disait-elle. À croire qu'il n'y a aucun autre médecin à 150 kilomètres à la ronde ! » Quoique...

C'était quasiment le cas, si on y regardait de près. La pénurie de médecins de famille s'était aggravée ces dernières années. Ils n'étaient que deux pour toute la région et devaient de surcroît assurer une présence partielle, à tour de rôle, à l'hôpital de la ville. Erika avait repris l'activité du confrère parti à la retraite, l'autre médecin était lui aussi sur le point de quitter son cabinet. D'ici deux ans, elle serait donc seule. Ce serait désormais sur elle que reposerait le poids d'assurer la relève.

L'Ordre des médecins gardait les portes de la profession toujours aussi fermées, comme si de rien n'était. Prétextant une qualité moindre des formations, l'organisme imposait aux candidats venant de pays étrangers ou d'autres provinces de repasser sur les bancs de l'université, pour reprendre leurs études depuis le début !

C'était une honte qu'Erika avait essayé de combattre en tant que représentante des internes en médecine du Québec, lorsqu'elle terminait son internat à l'hôpital Sainte-Justine. Force était de constater que cet état de fait continuait malgré les annonces publiques et les promesses des politiciens. L'Ordre ne voulait pas avoir à partager le gâteau, même au risque de bafouer le droit d'accès aux soins. Erika enrageait que le Québec ne puisse assumer sa mission dans ce domaine crucial. C'était pour elle un tel recul par rapport aux idéaux de la Révolution tranquille !

Pendant ses études, elle avait fait la connaissance d'un immigrant, qui lui avait paru à l'époque fort âgé. Formé en France, avec dix ans d'expérience en médecine familiale, il était forcé de reprendre dix autres années au Québec. Le gars était quelque peu amer… mais sa pugnacité l'avait conduit à la réussite et il avait finalement obtenu son diplôme en même temps qu'elle. Il était parti au fin fond du Québec, aux frontières avec l'Ontario, en Outaouais, où la pénurie était pire encore ! Un vrai croisé ! Elle l'admirait. Il lui avait affirmé que, de toute manière, on en viendrait un jour à faire appel au secteur privé, que c'était couru d'avance en l'état actuel des choses.

Elle convenait qu'il y avait une forte contradiction à vouloir défendre un service de santé public, sans lui donner les moyens d'assurer sa mission… Mais, le privé ? Comment en sortir ?

La sonnerie de la porte d'entrée l'interrompit dans ses réflexions. Elle alla ouvrir et tomba nez à nez avec un visage familier. Où avait-elle vu cette jeune femme un peu boulotte, avec des dents de lapin ? Son air songeur dut pousser son interlocutrice à prendre l'initiative, car c'est elle qui la salua en premier.

— Bonjour. Je m'appelle Cassandre Hautclair. Je désirerais voir Olivia, s'il vous plaît.

— Euh ! Bonjour, excusez-moi, je vous ai déjà vue quelque part… Votre visage m'est familier… mais je n'arrive pas à savoir d'où vient cette impression. En tout cas, Olivia n'est pas ici. Elle est en tournée dans les fermes des alentours jusqu'à ce soir, je crois. Pour tout dire, je ne sais même pas quand elle projette de rentrer exactement. Puis-je lui laisser un message ?

– Non... Ou plutôt, oui. Je vous laisse ma carte d'affaires. Elle m'a promis une entrevue comme personnalité du mois dans *La Vigie*. Je suis journaliste. Mais... Mais, ne seriez-vous pas Erika Picbois, la grande amie d'Olivia ? Elle m'a beaucoup parlé de vous. Je crois que nous avons beaucoup de choses en commun. Auriez-vous un petit moment à me consacrer ?

« Ça me revient ! Je l'ai vue sur le blogue de ce journal régional ! » pensa Erika à l'instant où elle la laissait entrer et s'installer dans le salon.

– Je vous en prie, mettez-vous à l'aise. J'ai été passablement occupée, je termine à peine ma journée. J'ai quand même droit à un petit peu de repos ! Cela me détendra de discuter avec une amie d'Olivia. Où l'avez-vous connue ?

Apparemment, la journaliste avait déjà écarté Olivia de ses préoccupations. Elle parla surtout d'elle-même. Erika apprit qu'elle n'était pas originaire d'ici. Elle avait achevé ses études tout récemment, six mois auparavant pour être plus précis. Elle se targuait d'avoir deux diplômes d'études collégiales, le premier, en arts, lettres et communication et le second dans une spécialité qu'Erika n'avait pu retenir dans le flot de paroles. Mais c'était sa première vraie job dans sa spécialité. Elle continua de l'abreuver de renseignements à son sujet, en un flot intarissable.

– Alors, d'après ce que je sais, je crois que nous pourrions nous entendre, Erika. On n'a pas toujours le choix. Moi aussi, j'ai pris ce qui s'offrait et qui pouvait constituer un bon tremplin à ma carrière. Je vise mieux bien sûr ! Elle continua, d'un air important. Je couvre toute la région pour ce qui concerne les affaires municipales, la culture, les élections, la vie communautaire, enfin tout sauf les sports ! Je touche à tout. Ça me plaît réellement et je remplis bien mon CV.

– C'est très intéressant. Vraiment ! Je voudrais bien continuer la discussion, mais je suis fatiguée...

Au premier abord, la jeune journaliste avait plu à Erika. Cassandre était énergique, incisive et affable, qualités appréciées d'Erika. Elles avaient effectivement des choses en commun : le fait d'être seule, d'être originaire de l'extérieur du territoire (même si elle, au fond, ne se considérait pas ainsi)... et leur âge. Au fil de la discussion, une sorte de malaise la gagna.

– Entre nouveaux arrivants, il faut se serrer les coudes, non ? lui demandait la journaliste. Si tu as besoin de moi, n'hésite pas ! Et puis je te verrais bien en personnalité du mois, toi aussi...

Les rares et brèves réponses d'Erika étaient consignées à une vitesse éclair par son interlocutrice dans une espèce de carnet en cuir noir. Il lui semblait que la jeune femme en notait même beaucoup plus qu'elle n'en disait...

– Je crois maintenant cerner un peu mieux ton exceptionnelle personnalité. Bravo ! Tu es un exemple pour toutes les femmes par ton indépendance, ton esprit d'initiative et ta réussite. Et puis, les épreuves que tu as traversées te rendent encore plus admirable : peux-tu me parler de l'agression par ton petit ami ?

Erika était étonnée que le sujet n'ait pas été abordé plus tôt, mais elle n'avait absolument pas envie d'en parler. Tout ce charabia, une vraie tartine de beurre de *peanuts* ! Erika doutait de la sincérité des propos de la journaliste : « Je suis ton amie, tu peux te confier à moi », et patati et patata... La prenait-elle pour une demeurée ?

Voyant que son interlocutrice ne répondait pas, Cassandre changea habilement de sujet, avec sa flagornerie habituelle.

– Tu m'es tellement sympathique ! Accepterais-tu de sortir boire un verre un de ces soirs ? Une petite sortie entre femmes d'affaires ou entre filles, comme tu veux... Propose-le à Olivia dès son arrivée. Je suis certaine qu'elle sera enthousiasmée ! Tu es comme moi, j'en suis sûre ! Cela nous fera du bien ; des femmes de notre trempe ont bien le droit de s'amuser de temps à autre, non ? Je t'ai laissé ma carte d'affaires...

Erika n'eut pas la force de lui indiquer qu'elle-même ne se rangeait pas dans cette catégorie : elle ne faisait pas des affaires avec des clients, mais soignait des patients !

– Cassandre, écoute, je te téléphonerai, et on se fera cette sortie, c'est entendu. Maintenant, je voudrais aller me reposer. Vraiment, je suis exténuée. Si cela ne te dérange pas, et je transmettrai ton invitation à Oli...

La journaliste était trop envahissante, Erika n'en pouvait plus. La jeune femme aspirait à un peu de calme, de silence. Heureusement, Cassandre ne semblait pas pouvoir tenir en place et déjà, elle se relevait du confortable fauteuil en cuir. Erika saisit la balle au bond et dirigea sa visiteuse aimablement vers la porte, en un geste maintes fois répété pendant sa journée de médecin. Elle la raccompagna donc avec soulagement. Elle se disait que pour la sortie, elle verrait plus tard – reportée *sine die* – d'autant plus qu'Olivia n'en voulait pas.

Pour l'heure, l'essentiel était de faire sortir cette Cassandre de malheur !

CHAPITRE 17

Sur la piste

Le lendemain, Œil d'Aigle était stationné à nouveau, assez loin d'un bâtiment situé en bordure de la ville, en partant vers l'est – à l'opposé de sa cabane – sur le dernier coin de rue avant la sortie de la ville. Il y était resté toute la journée de lundi, sans grand succès, pour voir si certains des véhicules présents dans le stationnement coïncidaient avec sa liste...

Soudain, moins d'une heure après son arrivée, une partie des supposés chasseurs se présentèrent. Un Cruiser Toyota et un pick-up passèrent devant lui avant de tourner vers le Club de chasse, un peu plus loin à droite. Se pouvait-il que ce soit une coïncidence ? De son poste d'observation, il distingua même un homme qui sortait du 4x4 en fumant. En moins de deux heures, d'autres arrivèrent, dans une deuxième jeep et un Grand Cherokee, qui pouvaient figurer sur la liste. Il hésitait à utiliser ses jumelles, de crainte de se faire repérer : faire de l'observation avec des jumelles en zone urbaine eut paru suspect. Il décida de faire confiance à sa seule vision, connue pour être aiguisée.

Garé à l'angle des rues Simard et Lemieux, non loin de là, il attendit que les propriétaires des véhicules entrent dans le Club avant de descendre de voiture et d'aller examiner les pneus de plus près. Il n'était pas le seul à traîner dans les environs ; les allées et venues étaient permanentes, l'établissement faisait également débit de boissons alcoolisées. Il passerait plus facilement inaperçu. Bingo ! La plupart des pneus et des traces laissées au lac Inconnu coïncidaient. Il y avait aussi la même boue séchée rouge.

Finalement, personne ne sembla lui porter attention ; il put accomplir sa petite inspection et regagner sa voiture tranquillement. C'était une très belle moisson, enfin, dans la version optimiste... Parce qu'il pouvait s'agir du hasard, plusieurs personnes pouvant posséder un même modèle, évidemment.

* *
*

Erika n'avait pu entrevoir Olivia que brièvement, à midi. Son amie était euphorique. Elle lui avait déclaré qu'elle n'avait jamais été aussi heureuse. Travail, argent, famille à proximité, vrais amis retrouvés... que pouvait-elle demander de plus ? Elle admettait être extrêmement occupée : forcément, elle accomplissait à elle seule la charge de travail d'au moins quatre personnes (réceptionniste, gestionnaire et technicienne en sciences animales... et vétérinaire), si l'on comparait aux standards d'un cabinet vétérinaire d'aujourd'hui. En son for intérieur, Erika estimait qu'elle ne la voyait pas suffisamment, mais cela allait certainement s'arranger... La visite impromptue de la journaliste de *La Vigie* – seule personne vue en dehors du travail – n'avait pas réussi à l'égayer. Lorsque le téléphone retentit au 57, rue Principale, la nuit venait de tomber sur une journée maussade, lourde et moite.

Erika sursauta : elle n'attendait aucun appel sur sa ligne personnelle. Olivia était à nouveau sortie et elle restait toute seule à la maison. Elle fut encore plus surprise en reconnaissant la voix d'Œil d'Aigle. Il n'y avait pourtant aucune trace de tension dans ses paroles, pas de S.O.S. d'un alcoolique en rechute...

– Je crois que nous devrions nous voir. Ce n'était pas prévu, je sais. Rien de grave, juste une décision à prendre, qui aura des conséquences. Je ne peux la prendre seul.

– Euh !... Oui... peut-être... mais... Olivia n'est pas revenue de sa tournée de visites à l'extérieur de la ville et je...

Le claquement caractéristique de la porte d'entrée précéda un « Allô, il y a quelqu'un ? Rikki ? ». Pendant un quart de seconde, Erika eut une impression de déjà-vu : une Olivia dynamique, insaisissable presque, tant sa journée était remplie ; et elle-même, en tailleur sur son fauteuil, attendant sagement son amie en lisant un roman, passive.

S'extirpant de ses sombres pensées, la grande fille brune fit un signe à la nouvelle venue et mit le haut-parleur afin de lui faire profiter de la discussion.

– Œil d'Aigle, Oli vient d'arriver, tu as de la chance : nous t'écoutons... Tu parlais d'une décision à prendre ? Tu as donc du nouveau ?

Leur ami fut succinct mais très clair.

— OK, alors voilà. Mes deux journées de planque près du Club de chasse ont porté des fruits : j'ai plusieurs véhicules qui correspondent aux traces que nous avons relevées près du lac. Nous devons en avoir le cœur net : leurs propriétaires sont-ils réellement impliqués dans une activité illicite ?

— Avons-nous le choix ? demanda Erika. Le problème n'est pas uniquement là, dis-moi que je me trompe, Œil d'Aigle...

— Disons que si mon hypothèse est bonne, nous avons affaire à l'un de ces trafics lucratifs assez courants dans la région. Nous avons tous un oncle ou un cousin pratiquant le braconnage, sauf toi Rikki, bien sûr. Mais depuis peu, on ne parle plus seulement de tradition ou de loisir : certains organes (vessie, rognons, foie) se vendent très bien auprès de clients étrangers pour leurs vertus soi-disant curatives ou aphrodisiaques... C'est devenu un *business*. La contrebande de cigarettes bat aussi son plein depuis quelques années...

— Tu pencherais pour quoi, dans le cas qui nous occupe ? Que cachent les mystérieux rendez-vous au lac Inconnu ? demanda Olivia.

— Eh bien justement, je n'en sais rien, mais si nous voulons nous en assurer, il n'y a qu'une solution. Puisque je me suis occupé de vérifier si les marques de pneus coïncidaient avec les véhicules, il faut désormais filer les suspects, pour accumuler autre chose qu'un maigre faisceau d'indices – par exemple, si l'un d'entre eux fume des Palboro – et peut-être des preuves. Nous apprendrons éventuellement si ce largage était le premier, si le réseau est vraiment organisé et surtout, qui est derrière tout cela.

Olivia pouvait aisément déduire la suite. Elle interrompit son ami.

– Tu nous proposes de nous répartir les suspects, c'est ça?

– Pile dans le mille, Oli! Chacun d'entre nous, en fonction de ses disponibilités, surveillera une de ces personnes dans les jours qui viennent. Comme je ne travaille pas et j'ai l'avantage de leur être inconnu, je peux en prendre deux. Cependant, la véritable question est de savoir jusqu'où nous sommes prêts à aller pour faire éclater la vérité. Doit-on risquer nos vies, les vôtres en particulier, puisque vous avez été filées?

Les vociférations qu'il obtint en retour lui indiquèrent clairement que la question était d'ores et déjà réglée : tout le monde mettrait la main à la pâte et prendrait les mêmes risques.

– C'est sûr qu'en ce qui me concerne, fit remarquer Erika, ça va être un peu compliqué. Mes astreintes à l'hôpital et mes heures de consultation au cabinet sont déjà pas mal prévues pour cette semaine... Je regarde, un instant... Ah! Vendredi, j'ai la matinée de libre; peut-être puis-je m'arranger avec mon confrère pour l'après-midi. Au moins, je pourrais prendre un tour de surveillance, ce vendredi!

Œil d'Aigle se montra encourageant et poussa plus loin.

– Bien, Rikki, c'est un début, mais nous ne pouvons pas nous contenter de ta filature et de la mienne, en espérant que les preuves vont arriver d'elles-mêmes. Oli, de ton côté, peux-tu assurer la surveillance d'un des propriétaires soupçonnés?

– Oui, jeudi et samedi! répondit Olivia énergiquement. Plus nous collecterons d'information, mieux nous nous porterons, n'est-ce pas ? En nous partageant la charge de travail, nous réduisons du même coup les chances d'éveiller les soupçons. L'idée est assez ingénieuse ! D'ailleurs, je n'aurais pas accepté que tu sois le seul à prendre des risques. Ce n'était pas notre accord. Je... enfin... nous ne supporterions pas que tu disparaisses du paysage, maintenant que tu y es revenu !

Olivia s'arrêta net, de peur d'en dire trop sur les sentiments qui l'avaient envahie à l'idée qu'Œil d'Aigle fût blessé, ou pire ! À cette idée, son rythme cardiaque s'accéléra. Elle reprit néanmoins :

— Cela dit, est-ce que nous pouvons faire autrement que de t'y envoyer en premier ? Bien sûr que non ! Tu es de loin le plus expérimenté de nous trois.

Leur décision était prise, les choses en restèrent là. Le lendemain, mercredi, Erika comme Olivia retourneraient travailler. Elles ne devaient pas sembler sortir de leur routine. Ainsi, leurs absences ponctuelles paraîtraient plus crédibles. Au besoin, elles pourraient aisément invoquer des raisons professionnelles...

Ils se répartirent les suspects : Erika filerait Adam Jolicœur et Olivia, Édouard Niourk, respectivement propriétaires du Grand Cherokee et d'une Commander dernier cri. Œil d'Aigle resterait deux ou trois jours à surveiller le même homme, un certain Joe Corley One, propriétaire d'un FJ Cruiser et d'un *pick-up* GM. Il s'occuperait aussi du quatrième suspect en fin de semaine, si la première filature ne donnait rien.

— Bon, je crois que nous sommes tous conscients de la faiblesse de notre dispositif, à savoir que nous ne pouvons pas assurer une surveillance 24 heures sur 24, sept jours sur sept! conclut Œil d'Aigle. Qu'est-ce que vous en pensez, les filles, on prend notre chance?

Les deux jeunes femmes acquiescèrent.

– On se retrouve comme d'habitude dimanche prochain, chez nous? lança Olivia. D'ici là, pas d'appel, silence radio, sauf en cas d'extrême urgence, d'accord?

CHAPITRE 18

Au clair de la lune

Olivia planait aux côtés d'un aigle, dans la clarté lumineuse d'un ciel de pleine lune. Le vent d'altitude la caressait et sa fraîcheur lui donnait la chair de poule. Elle suivait le magnifique rapace de près, dans ses virages et ses piqués. Puis, ils prirent la direction d'une masse blanche qui se dessinait au loin. En approchant, elle s'aperçut qu'il s'agissait en réalité de deux parois rocheuses, d'un blanc crayeux. En même temps que l'aigle, elle amorça une descente afin de suivre le couloir ainsi tracé. À grands coups d'ailes, il avançait vers un point qu'elle ne voyait pas, inaccessible pour l'instant, mais dont elle sentait intuitivement qu'il était là, droit devant. Elle se fit la réflexion que, depuis le début, toute l'action s'était déroulée dans le silence le plus complet. En dépit de son désir absolu de rester près de l'aigle, elle sentit qu'elle s'éloignait de lui, inexorablement, aspirée vers le haut par quelque force invisible. Elle le laissait en arrière ! À l'instant de le voir disparaître, elle croisa son regard luminescent : il essayait de communiquer avec elle en ouvrant le bec, en vain. Impuissante, elle devina qu'il lui lançait un appel à l'aide muet.

Olivia s'assit sur son lit, dans le noir, le cœur battant, l'image des falaises de craie devant les yeux. C'était le mercredi 9 juillet, il était à peine 4 h 30 à l'horloge de sa table de chevet. Elle avait rêvé encore une fois. Et pas n'importe comment! Elle en frissonnait encore. Mais, comme d'habitude, elle avait beaucoup de difficulté à se rappeler les détails. C'était confus. Elle avait du mal à respirer, elle sentait sa poitrine oppressée; et sa peau était fraîche comme si elle était restée à l'extérieur... mais impossible de se souvenir pourquoi. «La journée va être longue», observa-t-elle au moment de poser le pied par terre.

* *
*

Œil d'Aigle se leva lui aussi pas mal avant l'aurore, nerveux, tendu. En fait, il n'était pas arrivé à s'endormir, tout au plus à somnoler, anticipant les détails de sa mission d'observation.

La demeure de Joe Corley One se situait au sud-est de la ville et donc, de la zone de largage, dans une plaine quasi désertique, à mi-chemin du lac Inconnu... Là-bas, il n'y avait rien dans un rayon de quinze kilomètres, que des cailloux et de l'herbe; les rares buissons ou bosquets étaient trop rabougris pour dissimuler complètement son 4x4. Il estimait connaître le secteur assez bien. Non seulement devrait-il couvrir son engin de la vieille bâche de camouflage couleur sable ramenée du désert irakien, mais il lui faudrait également le laisser loin de la propriété et de la route y menant.

Bref, après le périple en voiture, une promenade d'une heure en terrain difficile l'attendait.

De plus, il lui avait fallu tout prévoir pour vivre quatre ou cinq jours seul, sans ressources ni approvisionnement. Il voulait assurer une surveillance maximale du *Señor Jo,* selon le sobriquet qu'il lui avait attribué. Précaution supplémentaire, il avait exhumé un permis de conduire au nom fictif de Benjamin Nitro, qui lui avait servi à l'époque de son passage dans les forces spéciales, lors d'opérations d'infiltration. S'il était pris, mieux valait que ce soit sous une identité d'emprunt.

Deux heures plus tard, rendu sur place, il se rendit compte que les petites séances de conditionnement physique auxquelles il s'était astreint ces derniers jours lui servaient. Rapidement, malgré le vent et dans la froidure du petit matin, ses muscles répondirent. Il put continuer à bonne allure, sans problème particulier.

À peine en vue de la bâtisse basse et blanche qui se détachait sur le ciel gris, il s'aperçut que le relief n'était pas si plat. Des monticules parsemaient le périmètre autour de l'hacienda. Tant mieux! Il en choisit un assez près de la route pour être capable de photographier les plaques d'immatriculation des voitures qui passeraient, ainsi que le visage de leurs occupants.

Il dut ensuite littéralement creuser son trou, aménager une niche discrète, afin de voir sans être vu. La végétation maigrichonne l'y aida; il plaça un buisson devant l'ouverture aménagée à l'avant de son terrier. Il détestait le souvenir de l'armée, mais avoir fait la guerre dans le désert aurait au moins un avantage. Les techniques élémentaires de survie lui étaient familières, il en remercia intérieurement ses instructeurs.

L'attente commença. Le soleil se levait alors qu'il prenait sa première tasse de café. Les heures s'égrenèrent. Les portes de l'hacienda ne s'ouvrirent qu'une fois, pour laisser sortir un véhicule. Il s'agissait d'un pick-up qui aurait très bien pu être sur leur liste.

Pour passer le temps, bien plus tard, il relut le dossier qu'il avait constitué à la dernière minute sur le Señor Joe. Une hacienda ici, c'était comme un igloo en plein désert du Mexique! Son propriétaire n'était manifestement pas de la région. L'homme aimait s'accoutrer d'un Stetson ou d'un sombrero, d'une veste à franges et de bottes de cow-boy, Œil d'Aigle le savait par ouï-dire. Nul ne savait d'où il venait, mais deux ans auparavant, il était arrivé et avait acheté ce terrain, grand de plusieurs centaines d'acres!

Œil d'Aigle avait trouvé des coupures de presse le concernant. Au cours des premiers mois, en particulier, l'homme avait défrayé la chronique en annonçant publiquement son intention de se construire une hacienda. Tocade ou caprice de riche, pour la majorité des habitants; insulte pour d'autres, conscients de la pauvreté extrême qui sévissait ici. Depuis, il avait réussi à redorer son image, voire à faire oublier la première impression. Dans la population, les commentaires étaient élogieux, principalement parce qu'il avait injecté pas mal d'argent dans les divers clubs, associations et initiatives locales. Il s'était forgé une image de philanthrope et d'entrepreneur.

Cependant, le Señor Joe était resté étonnamment discret sur ses activités professionnelles.

D'où sortait tout cet argent ? Un seul document les évoquait, au moment où il avait fait un don record au club de chasse de la ville. Il était dans le commerce international – formulation sibylline qui pouvait signifier n'importe quoi. Le personnage était avare de sorties publiques. Il était désormais un notable un peu trop secret, du point de vue d'Œil d'Aigle.

Le pseudo-Mexicain employait plusieurs personnes natives de la région, majoritairement des hommes, qui vivaient tous dans l'enceinte de l'hacienda… et n'en sortaient que rarement, sinon en groupe. Avec un peu plus de temps, le jeune Amérindien aurait trouvé le moyen d'en rencontrer quelques-uns, ils sortaient toujours dans les mêmes bars.

Quelques heures plus tard, il commença à sentir la fatigue accumulée lui tomber dessus. La soirée approchait. Il n'avait pu se dégourdir les jambes, ni fermer les yeux un instant. Il devait pourtant tenir coûte que coûte, jusqu'à la nuit !

Après souper, il connut un regain d'énergie : il avait pu sortir et marcher un peu, faire quelques étirements et prendre une boisson énergisante – l'équivalent de quinze cafés ! Fumer lui était interdit évidemment, ce qui n'arrangeait pas les affaires.

– C'est reparti pour un tour ! dit-il à voix basse, comme si on pouvait l'entendre.

Cela lui fit du bien d'entendre le son de sa voix. Oh ! Il n'était pas coupé du monde : il avait écouté les nouvelles sur sa mini radio MP3 ; on arrivait à capter les ondes, même en ce lieu loin de tout !

* *
*

Le lendemain matin, alors qu'Erika beurrait allè-
grement une tartine, la promesse faite à Cassandre lui revint en mémoire. Elle devait respecter sa
parole, en espérant ne pas top embarrasser Olivia.
Elle s'en ouvrit à son amie. Olivia lui résuma ses
rencontres avec la jeune journaliste et lui fit part
de son malaise.

– Je ne sais pas trop quoi en penser... Cet
empressement à devenir mon amie me gêne. Elle
a l'air si seule, je la comprends. J'ai vécu la même
situation pendant huit ans à Laval. Je dirais que,
spontanément, j'ai envie de faire un pas dans sa
direction. En même temps, je ne me sens pas tout à
fait à l'aise. L'amitié ne s'improvise pas ! Elle paraît
si excessive, ça fait peur !

– C'est un peu l'impression qu'il me reste de
notre entrevue, renchérit Erika. Après coup, je l'ai
trouvée envahissante, oppressante. Finalement,
nous ne la connaissons pas. Ses articles sont assez
bien écrits. C'est en grande partie grâce à elle que
je me tiens informée sur ce qui se passe dans le
coin, depuis mon retour. Elle paraît prendre son
métier très au sérieux, c'est sûr...

– Tiens ! Je ne l'ai jamais vue sous cet angle !
Ce que tu dis est certainement vrai. Le malheur,
c'est qu'au fond, je ne suis pas sûre d'avoir par-
donné aux journalistes leurs commentaires sans
pitié lors du décès de ma sœur. Ils viennent te voir
la bouche en cœur et déforment ou interprètent
ensuite tes propos. L'univers qu'ils dépeignent est
simpliste et binaire : les gentils, les méchants, les
criminels, les victimes ! La douleur des parents qui

voient disparaître leur enfant avant eux, qu'est-ce qu'ils en font ?

— Euh ! Je dois répondre là ?

— Non, excuse-moi de m'être emportée. Wouah ! J'ai enfin réussi à le sortir à haute et intelligible voix... Ça m'a fait du bien ! En tout cas, pourquoi ne pas la rappeler demain ou après-demain ? Il est maintenant trop tard. D'ailleurs, j'ai du pain sur la planche à jouer à la détective ; ça va me changer les idées. À l'action !

Une heure plus tard, Olivia stationnait son pick-up en face de l'appartement du dénommé Édouard Niourk. Il était propriétaire d'une jeep assez ordinaire, mais Œil d'Aigle avait confirmé que les traces des pneus coïncidaient, alors... alors, elle lui faisait entièrement confiance.

Sous le ciel gris et menaçant, la journée passa lentement. Elle le suivit, discrètement, pensait-elle, jusqu'au magasin de bricolage où il travaillait. Puis, elle l'observa pendant sa pause-dîner et le raccompagna chez lui vers 16 heures. Rien à signaler, excepté qu'il semblait plutôt normal, assez sympathique. Comment l'imaginer en cambrioleur, en contrebandier ou en trafiquant ?

— Rien ne le laisse supposer, je crois.

Ainsi acheva-t-elle le récit de son tour de surveillance, alors que le rideau opaque de la nuit descendait sur Natagamau. Erika avait écouté attentivement, en espérant — sans trop y croire — qu'elles tomberaient tout de suite et les premières sur le bon suspect.

— En effet, ce n'est pas mirobolant ! Tu auras certainement plus de chance samedi. N'oublie pas ton appareil-photo surtout, cela pourrait servir... Demain, repose-toi, je prends le relais.

CHAPITRE 19

L'hacienda

Pour Œil d'Aigle, la longue attente continua. On était vendredi matin, il avait résisté deux nuits ! Ne s'autorisant que des microsiestes de quelques minutes, tout au plus. Les photos qu'il avait prises des véhicules de passage, à leur entrée ou à leur sortie de l'hacienda, l'avaient conforté dans l'idée que Joe Corley One était bel et bien le gibier que les trois amis pourchassaient. Il avait prévu repartir à la faveur du crépuscule ; il avait assez de clichés pour identifier les sbires du Señor Joe. En tout cas, il se sentait très fatigué... Ses paupières se fermaient malgré lui. La moiteur ambiante augmenta au fil de la matinée. La torpeur le gagna et il finit par s'endormir.

Combien de temps ? Il ne put le dire... ni y réfléchir, d'ailleurs ! Il fut tiré de son sommeil par une main virile, littéralement arraché du sol ! Il n'eut même pas le temps de voir qui était le propriétaire de ladite main, parce qu'il reçut un coup sur la tête à assommer un bœuf ! Il tomba évanoui.

Au réveil, sa première impression fut douloureuse. Il avait une énorme migraine, la gorge sèche et la langue pâteuse, si bien qu'il eut du mal à la bouger...

– Alors, lé flic, tou émerges ? lança une voix masculine à l'accent roulant et vaguement hispanique.

Où était-il ? Il faisait agréablement frais. Il n'y avait aucun bruit à l'exception du grésillement de l'ampoule nue accrochée au plafond. Il se risqua à ouvrir un œil. Un petit homme sec comme une trique, à la peau artificiellement bronzée et à la moustache fournie et tombante, le toisait.

– Depouis combien dé temps nous surbeilles-tou, salé flic ? C'est dou harcèlement ! Pour quel service travaillé-tou ? Police autochtone ? GRC ?

– Euh ! Vous vous trompez. Je suis un amateur de poissons d'eau douce et je faisais de l'observation...

– C'est oune *joke* ou quoi, *madre dios* ?

– Non, je m'intéresse particulièrement à... Ouch !!

Une tape sur la nuque accueillit les derniers mots d'Œil d'Aigle. Un molosse placé derrière lui et qu'il n'avait pas vu, en était l'auteur. Son homme de main, visiblement.

– Tu ne parles que si on te le demande, compris ? insista le gars qui, lui, parlait sans accent, sinon celui de la région.

– Ta pétite cachette sé trouvait face à mon hacienda. Nous avons récoupéré ton matériel de sourveillance, cé n'est pas dou matériel d'amateur ! Alors ?

Œil d'Aigle en convenait. À vouloir jouer les professionnels, il avait fini par être un peu trop crédible ! C'est pourquoi ils pensaient qu'il était policier. Mais, s'il avouait qu'il ne l'était pas, qu'il était un simple citoyen épris de justice, il n'aurait plus aucune protection... Un statut plus officiel pouvait encore le protéger. Il avait plutôt intérêt à jouer le jeu.

– OK! OK! Mon nom est Benjamin Nitro, mais vous le savez déjà, je suppose. Je suis un enquêteur privé. J'essaie de retrouver un jeune qui a fugué; ses parents m'ont engagé il y a quelques semaines. Je suis arrivé il y a deux jours seulement dans la région, parce que mes pistes m'ont mené à vous. Quand j'ai vu les hommes armés autour de l'hacienda, je me suis dit que mieux valait une petite filature discrète pour voir s'il faisait partie de votre personnel. Je ne voulais pas vous déranger pour si peu...

En se disant que la meilleure défense était l'attaque, il enchaîna :

– Est-ce que vous avez récemment embauché un certain Enid Blyton ?

Il bénit intérieurement l'auteur de la série de romans *Le Club des Cinq* de lui prêter son nom, après l'avoir tant passionné dans sa jeunesse. Au même instant, il sentit peser sur lui la suspicion de celui qui était sans nul doute le Señor Joe. Les secondes lui parurent des minutes. Il osa l'affronter et soutint son regard bleu acier... Le visage se dérida soudain et un grand sourire apparut, faussement affable.

– Yé mé présente : Joe Corley One... Bous bous démandez pourquoi «one»? Mon père s'attendait à cé qué yé sois prémier en toutes choses. Paix à son âme. La famille étant très importante pour moi, yai gardé lé sobriquet en sa mémoire. Et yessaie, chaqué your, dé ténir cette place dans tout cé qué yé fais. Certains trouberaient cela un peu exagéré… enfin, yé souis comme ça! Et yé souis lé propriétaire de cetté modesté hacienda. Toutes mes excouses, Señor Nitro. Carlo, présente-loui tes excuses pour les coups qu'il a réçous!

Señor Joe continuait.

— Il y a méprise. Vous savez, yé ou par lé passé quelques ennouis avec la police et yé souis un peu nerveux. Jé né connais personne du nom dé… comment ça, Enid Blyton? Non, yamais entendu, yé vous le youre! Vous avez ma parolé. Est-ce que cela vous souffit? Oui? Tant mieux. Et pour vous lé prouver, yé vous libère!

Œil d'Aigle réfléchit à ce qu'il devait dire ensuite. Il se massa les poignets et tâta l'œuf de poule qu'il avait sur le crâne afin de gagner un peu de temps… Le bonhomme passait l'éponge un peu trop vite; il cachait quelque chose, mais quoi? Le jeune homme ne pouvait se permettre de tergiverser ou de jouer le fier-à-bras.

— D'accord, monsieur Corley One. J'accepte vos excuses. Vous me semblez être un homme de parole. Si, comme vous me le déclarez, vous n'avez pas engagé un jeune homme du nom d'Enid Blyton, je vous crois. Je vais tranquillement repartir, avec mon matériel s'il vous plaît et faire mon rapport à mes clients; j'ai dû manquer un indice quelque part, je vais reprendre mon enquête…

Est-ce qu'il n'en faisait pas trop? En tout cas, son interlocuteur lui répondit tout de suite.

— Oui, bien sûr, yallais oublier votre matériel… Vénez donc par ici. Mon collaborateur ba bous raccompagner.

* *

*

Ce matin-là, Olivia se réveilla sur une drôle d'impression. Elles n'avaient pas eu de nouvelles d'Œil d'Aigle depuis mardi soir évidemment, c'est ce qui était prévu. Cependant, la sensation d'écrasement et d'oppression qui l'avait envahie depuis son rêve, ne l'avait pas quittée. Elle ne se sentait pas reposée. Œil d'Aigle était-il en danger?

Elle chassa cette idée lugubre de son esprit. Elle avait toutes les raisons d'être contente. Ses premiers jours en tant que vétérinaire avaient été exaltants et bien remplis. Erika semblait également de bonne humeur. En effet, son amie avait une mission à remplir aujourd'hui! Elles en discutèrent quelques instants au déjeuner, entre deux tartines.

– Ça va, Rikki? Tu parais soucieuse...

– Oui... Enfin, non! Je ne suis pas soucieuse. Pas de problème, tout est correct!

– Tu peux m'en parler. Je te sens un peu distante ces jours-ci. Est-ce que tu as pu joindre ta mère?

– Oui, justement. Lundi soir. Mes parents vont bien... Ils se demandent encore ce que je fais ici. Ils connaissent la région et, précisément, mon séjour ici ne leur plaît pas trop. J'imagine que ce n'est pas tout à fait l'avenir dont ils rêvaient pour moi... En plus, Alexis leur a donné sa version des faits! Pleine de commisération et bonne chrétienne, ma mère lui a rendu visite en prison. Est-ce que tu y crois? Je ne veux pas jouer la pleurnicharde et en faire trois tonnes pour contrebalancer l'influence de mon ex, cela jouerait en ma défaveur auprès de ma mère. Je ne veux pas couper les ponts avec mes parents, quand même! J'en ai marre et je n'ai pas eu grand monde à qui en parler ces derniers jours…

– Et moi alors ? Ah ! Mais, attends, c'est donc cela ! Je ne suis pas souvent là, c'est vrai. Nous n'avons pas eu le temps d'en discuter. Tu as quelques minutes ? essaya Olivia.

– Non, pas maintenant.

Olivia comprit qu'il fallait agir. Le moral était touché et leur amitié était en danger. Elle renonçait à sortir ce soir-là et proposa de lui réserver la soirée. Elle lui ferait un rapport de sa journée de surveillance. Comme elle n'allait pas chez ses parents, elles pourraient même préparer le repas ensemble ! Elle ajouta, pour couronner le tout, un film de sa vidéothèque personnelle, un bon Capra des années 1930 qui, à lui seul, pouvait redonner goût à la vie à un troupeau de détraqueurs à la poursuite d'Harry Potter !

L'offre sembla retenir l'attention d'Erika. Sa bonne humeur revint. Elle opina du chef, avec le sourire cette fois-ci.

– Super ! On se fait une soirée pyjama, alors ? On oublie l'invitation à Cassandre. Très bien, cela me manquait ! A-t-on droit, exceptionnellement, au pop corn au beurre sur le canapé ?

*   *
*

C'était donc son tour de garde maintenant. Elle avait annoncé quasi publiquement qu'elle rendait visite à une patiente de Val-d'Or pour la journée. Un petit panneau le précisait sur sa porte. Depuis deux jours, elle avait également ébruité la rumeur à Natagamau.

Cela lui laisserait toute la liberté de laisser sa voiture loin de la ville, à l'abri des regards, pour prendre le pick-up chez les parents d'Olivia. M. Beaumerle, qui n'était pas au courant des détails, mais qui faisait entièrement confiance à sa fille, la ramènerait en ville et lui laisserait la Chevy, avec une perruque blonde et des lunettes (une vieille paire qui avait appartenu à sa femme). Cela devrait suffire pour passer inaperçue, sinon incognito. Elle n'était tout de même pas une célébrité ! Quant à Olivia, elle resterait au cabinet toute la journée.

Erika observa Adam Jolicœur lorsqu'il sortit de chez lui. Assez grand, cheveux bruns avec houppe sur le devant, lunettes de soleil, il était habillé élégamment d'un veston-cravate sobre et bien propre sur lui. Il s'engouffra dans sa jeep sans un regard aux alentours. Elle lui laissa prendre quelques centaines de mètres d'avance et démarra.

Il s'arrêta au centre-ville, pas très loin de chez elle en fait, devant la Librairie du centre, dont il ouvrit le portail métallique. Il cachait bien son jeu ! Libraire et trafiquant, quel étonnant mélange ! Elle avait du mal à le croire. Pendant qu'elle relisait pour la énième fois distraitement, mais non sans plaisir, un petit recueil de poèmes qu'elle gardait toujours près d'elle, Erika y réfléchit toute la matinée, mais elle ne trouva pas de réponse à ses interrogations.

À l'heure du dîner, il quitta son travail en voiture et se rendit au stationnement d'un restaurant à l'extérieur de la ville. Là, elle fut surprise de le voir se porter à la rencontre d'un groupe de jeunes à la mine patibulaire, vêtus de treillis et de bottes *rangers* de l'armée. Il discutait en particulier avec l'un d'entre eux, avec qui il semblait s'entendre assez bien. Étrange ! Il prit un sandwich sur le chemin du retour et passa le reste de l'après-midi à la librairie.

Ce n'était pas franchement palpitant ; Erika se prit à rêvasser sur le jeune homme. Il était plutôt beau garçon, quand même... Imaginer qu'il cachait une âme noire la mettait en colère plus qu'autre chose.

À cet instant, précisément, il sortit de la librairie. Il était cinq heures. Il ferma le rideau de fer avec un cadenas. Au lieu de se rendre à son véhicule, il marcha droit sur elle ! Erika, paniquée, essaya de démarrer. Elle cherchait frénétiquement à tourner la clef dans le contact lorsqu'une main se posa sur la portière. L'homme l'interpella, qui cachait mal une colère froide.

— Mademoiselle, bonjour. Depuis ce matin, vous êtes là, Vous m'avez suivi... je ne savais pas que j'avais un *fan club* !

— Euh ! Je... Mais... enfin... Erika se sentait honteuse, comme une enfant prise en faute. Elle n'arrivait pas à trouver les mots. Elle ne pouvait tout de même pas lui répondre franchement !

— Trouvez une réponse convenable avant que je fasse appel à la police !

— Pourquoi ne pas prendre un café ensemble ? Je vous invite.

Une heure plus tard, Erika fermait la porte d'entrée. Elle poussa un soupir de soulagement. Après coup, en traversant la rue, elle avait envisagé le pire : qu'il se soit caché et qu'il l'ait suivie, ou encore qu'il l'agresse subitement ou qu'il envoie un de ses complices accomplir le sale boulot...

Or, rien de tout cela ne s'était réalisé. Peut-être était-il réellement la personne qu'il avait décrite, beau à l'extérieur et à l'intérieur... Elle avait du mal à le croire cependant, tout en souhaitant de tout son cœur qu'il garde pour lui, au moins le temps que l'enquête officielle démarre, ce qu'elle avait dû lâcher comme information. Ce devait être une question de jours, si la moisson d'Œil d'Aigle s'avérait aussi prometteuse que la sienne.

CHAPITRE 20

Fin d'étape

Le soleil déclinait en cette fin de vendredi, la nuit allait être fraîche. Dans sa grande mansuétude, après une poignée de main virile et trop chaleureuse pour être vraie, le Señor Joe avait ordonné à l'un de ses « employés » de reconduire Œil d'Aigle jusqu'à la porte de l'hacienda. Ce dernier avait espéré un peu plus, être transporté jusqu'à son véhicule, par exemple. Il dut donc marcher une heure, avant de prendre son 4x4. Il était épuisé, mais lucide : le Mexicain croyait-il sérieusement à son identité d'enquêteur privé ?

Comme promis, l'équipement d'Œil d'Aigle lui avait été rendu, à l'exception de la carte-mémoire de son appareil photo, qui avait disparu. Il s'en était aperçu seulement une fois arrivé à la voiture ; ce n'était pas le fruit du hasard, mais il pouvait difficilement porter plainte. Sur le chemin du retour, il essaya de deviner quel allait être son prochain coup. Œil d'Aigle aimait bien jouer aux échecs, dans le temps. La partie avait largement commencé, l'issue en restait encore incertaine selon lui. Pourquoi l'avait-on relâché, sinon pour lui laisser croire qu'il avait détourné leurs soupçons ? Señor Joe pouvait maintenant vérifier s'il avait dit vrai… en le filant à son tour, par exemple. La manœuvre était classique !

Personne dans le rétroviseur, pourtant. Tout allait trop bien. Son instinct lui susurrait : attention ! Attention ! Heureusement, il avait pris une précaution supplémentaire, qui, croyait-il, lui permettrait de se mettre à l'abri de toute rétorsion. Il éteignit le moteur devant le Breakfast Inn où il avait réservé une chambre dès le soir de sa conversation avec les filles, voilà bientôt une semaine. Il inspecta sa voiture à la recherche d'un mouchard, sans succès. Rassuré, il entra dans l'hôtel-restaurant pour manger et laissa un message téléphonique à ses deux amies, leur donnant rendez-vous le lendemain, après la dernière surveillance d'Olivia. Puis, comme prévu, il gagna sa chambre d'hôtel, laissa la lumière allumée quelques minutes, avant de s'en évader comme un voleur, par la fenêtre de derrière. Enfin, tranquillement, par les petites rues, il revint chez lui à pied. Trop heureux de s'en sortir à si bon compte, il était sûr de son coup.

Il ne se doutait pas que le Señor Joe avait lui aussi pris quelques précautions pour s'assurer de l'identité de son visiteur. Le temps de la filature où l'on devait ne pas perdre sa cible des yeux était passé depuis belle lurette ; aujourd'hui, une simple micro-puce émettrice cousue dans un vêtement ou un sac suffisait à suivre n'importe qui à la trace, à plusieurs kilomètres de distance. Une des Jeep aux pneus crantés qu'Œil d'Aigle avait reconnue quelques jours auparavant ne pénétra même pas dans le camping. Le véhicule resta proche de l'entrée du quartier et repartit peu après. Pour les trafiquants, plus besoin de surveillance ce soir-là : il n'était pas enquêteur privé et on savait où le trouver.

*　*
*

Le lendemain soir, lorsque les deux jeunes femmes se présentèrent à la roulotte, elles trouvèrent leur ami affalé sur son canapé. Mais non, pas de canettes par terre ! Il dormait du sommeil du juste. Il fallait néanmoins le réveiller pour que leur réunion ait lieu. Elles décidèrent de n'en rien faire jusqu'à ce que le souper soit prêt. Pour cela, elles pillèrent son frigo !

– J'ai une faim de loup, annonça joyeusement Erika, je pourrais dévorer... un homme ! Et elle éclata de rire.

– En ce qui me concerne, celui qui se trouve sur le canapé me suffirait ! s'exclama haut et fort Olivia, et je...

– On parle de moi ?

Œil d'Aigle semblait avoir émergé, peut-être attiré par les odeurs de cuisine... Avait-il tout entendu ? Olivia rougit violemment et baissa les yeux. Erika rit de plus belle. Le ton était donné.

Une bonne heure plus tard, les deux espionnes avaient rapporté les événements des derniers jours. Olivia avait narré sa journée de surveillance et vite conclu qu'ils pouvaient abandonner Édouard Niourk comme suspect numéro un. Ses acolytes étaient d'accord. Quant à Erika, elle avait dû avouer le pari qu'elle avait fait en expliquant en partie à un certain Adam Jolicœur pourquoi elle le filait – elle s'intéressait, en tant que citoyenne, aux activités d'un groupe de personnes soupçonnées d'activités illégales, sans qu'il s'agisse de faire le travail de police – elle n'avait pas pu résister à l'envie d'enlever sa perruque et ses lunettes pour lui prouver sa sincérité ; en échange de quoi, il s'était livré…

– De bonne foi, précisa-t-elle. Ce gars-là est intelligent, cultivé, sensible, courtois. Il s'intéresse à beaucoup de choses, mais pas à la chasse, semble-t-il. Son frère, Abel, si. Un frère dont il m'a dit qu'il s'est occupé depuis la mort de leurs parents et jusqu'à l'année dernière, où il s'est trouvé une job semble-t-il très payante. En attendant que ce nouvel emploi lui permette de s'acheter la voiture de ses rêves, Adam lui prête sa Jeep de temps à autre. Il s'agit justement d'un des jeunes que j'avais vus le midi… en treillis et rangers, prêts pour la brousse et les livraisons peu recommandables, d'après moi.

– Ça n'est pas vraiment une preuve, fit remarquer Olivia, mais c'est pas mal.

– Bon, je vois que tout n'a pas été négatif pour vous, les filles, surtout pour toi, Erika…

À son tour, Œil d'Aigle amorça son récit : la préparation, le voyage, l'installation, etc. En le terminant, il apporta le dessert de yogourt et de salade de fruits.

Le Señor Joe est notre homme : il a l'argent, le pouvoir, le leadership et le sang-froid d'un criminel en puissance ; il est très organisé ; son hacienda est idéalement placée par rapport au lieu de largage. Il est donc suffisamment éloigné de la ville pour ne pas être dérangé. Visiblement, il a recruté parmi nos jeunes désœuvrés et en a fait du personnel obéissant et efficace, dans son genre. Autre enseignement de ma petite expérience là-bas, vous l'aviez compris, ces gars sont dangereux. Vous avais-je précisé que les employés du Señor Joe sont munis d'armes à feu ? J'ai même aperçu un fusil d'assaut ! Un tel déploiement de moyens ne peut se justifier que par une bonne raison : ils cachent un secret inavouable et c'est Joe Corley One qui est le cœur de cette organisation, j'en mettrais ma main à couper, enfin... façon de parler...

— Qu'est-ce que tu essaies de nous dire ? demanda Olivia. Il faudrait tout arrêter net ?

— Non, je crois qu'il est un peu trop tard. En revanche, pas question de nous faire justice nous-mêmes. Il y a des juges pour cela. Nous nous contenterons de fournir quelques preuves à la police, d'accord ?

— Absolument. Je vote pour cette motion, ajouta Erika en levant la main. Qui d'autre est pour ? fit-elle en feignant de chercher autour d'elle. En attendant, reprit-elle, j'aimerais attirer votre attention sur un autre détail, qui a aussi son importance, selon moi. Nous avons un moyen fiable et rapide de savoir ce que manigancent ces gens-là, d'apprendre où et quand se déroulera leur prochain lâcher de colis...

Olivia fut la première à parler.

— Donc, tu proposes de nous attacher un peu plus à cet Adam. Une nouvelle filature ? Et le jour où il prête sa voiture à son frère, on espère que c'est pour réceptionner la marchandise, quelle qu'elle soit ? Il ne restera plus qu'à être là avec une caméra !

— Un petit coup de fil à Jack Cambers et le tour sera joué ! C'est presque trop beau pour être vrai ! termina Œil d'Aigle. En même temps, pourquoi ne le ferions-nous pas ? C'est la solution qui nous expose le moins, physiquement. Continuer les surveillances et les filatures tous azimuts, c'est prendre chaque jour un peu plus le risque de nous faire repérer. Si cela arrivait... Je préfère ne pas y penser ! Ce bouquiniste ne m'a jamais vu, donc vous n'avez même pas besoin de vous compromettre dans cette opération...

— Tu ne crois pas que l'on profite un peu beaucoup de la confiance qu'il a placée en moi en me livrant ces détails sur sa vie ? demanda une Erika qui semblait tendue.

— Lui as-tu clairement dit que notre but était de faire arrêter tout ce beau monde ? répliqua Olivia.

— Ben, pas vraiment, je ne suis pas allée jusque-là... mais si son frère est arrêté, ça sera grâce ou à cause de nous. Et je n'en suis pas très fière : il a l'air innocent et gentil... je me sentirais mal... qu'est-ce qu'il penserait de moi, enfin de nous ?

— Tu as l'air de prendre la chose très à cœur, remarqua Œil d'Aigle. Petit rappel : premièrement, on n'a pas fait tout ça, y compris risquer un peu nos vies, pour rien, et deuxièmement, si dégât collatéral il doit y avoir, Adam Jolicœur devrait comprendre que nous sommes du bon côté, sinon, il ne vaut pas l'intérêt que tu sembles lui porter.

Erika s'en défendit et elle accepta la décision collective, non sans une pointe de regret. Ils décidèrent de reprendre le cours normal de leur vie. Seul Œil d'Aigle continuerait d'avoir une part active dans l'opération. Ce serait presque la première fin de semaine tranquille depuis leur retour à Natagamau. Chacun des trois amis était satisfait de l'arrangement. Olivia envisagea même d'inviter

Œil d'Aigle pour le brunch le lendemain matin, sans oser franchir le pas, elle n'aurait su dire pourquoi. Ne soupçonnant pas qu'il la confortait dans son choix, son grand ami autochtone avoua avoir surtout besoin de repos, et comme il était déjà plus de 11 heures... Une autre bonne nuit lui permettrait de récupérer complètement, à coup sûr.

Olivia tressaillit. Un frisson remonta le long de sa colonne vertébrale. Fatigue ? Froid ? Pressentiment ? On annonçait une météo affreuse à partir du lendemain : orages violents et températures anormalement basses !

CHAPITRE 21

Le grand jour

C'était pour aujourd'hui, ce soir, dans quelques minutes! Pas une péripétie, mais le début de quelque chose, un certain changement. De cela Joe était certain, en repassant les détails du coup que ses hommes allaient mener chez le jeune Autochtone. «Idiot, pensa-t-il, à propos d'Œil d'Aigle, croyais-tu que j'allais te croire sur parole? J'en ai vu d'autres...»

N'empêche, cela impliquait un virage important dans la politique de sa petite entreprise. Jusqu'ici, l'organisation – lui, donc – avait soigneusement évité de toucher aux personnes physiques. Intimider, bousculer un peu, oui! Mais, attenter à la vie d'un être humain, ça n'était pas son genre. Oh! Non! Même si cela l'arrangeait bien que les gens soient convaincus du contraire.

La cargaison qu'il avait reçue récemment l'obligeait à faire fonctionner le laboratoire jour et nuit. Sans compter celle qui arrivait – la plus grosse jusqu'ici! – et les clients impatients à l'autre bout de la chaîne de distribution. Il faudrait les satisfaire et avoir la marchandise en respectant les délais ! Surtout, ne laisser aucun obstacle gêner sa course, car il s'agissait bel et bien d'une course, contre la montre. L'instant était crucial ! Pour accéder à la cour des grands, il ne devait prendre aucun risque. Personne ne devait avoir connaissance de ses activités.

Il convenait intérieurement que ce n'était pas joli, joli, mais il croyait dur à la liberté d'entreprendre. Tout pouvait s'acheter ou se vendre en ce bas monde ! Il s'était contenté de développer sa petite entreprise, pour ne pas connaître la crise. Le contexte s'y prêtait : une région assez éloignée des grands centres urbains, mais pas trop ; une population de jeunes sans emploi, prête à tout pour s'en sortir... et de l'espace sans surveillance à ne plus savoir qu'en faire ! Voilà la formule gagnante pour fouetter l'économie locale – il subvenait indirectement aux besoins de plusieurs familles, finançait plusieurs clubs locaux et œuvres caritatives – et exploiter une région à fort potentiel. Il faisait un peu de profit, rien de plus. Il consulta sa montre : 19 h 55. Tout s'était déroulé parfaitement jusqu'à présent.

À quelques kilomètres de là, deux hommes se faufilèrent vers l'arrière de la caravane. Aucun bruit ne filtrait de l'intérieur. Dehors, la chaleur s'était accumulée toute la journée. Les nuages s'étaient amoncelés, lourds d'une menace d'orage monstrueux. L'air était étouffant. La sueur leur coulait dans les yeux et ils devaient s'essuyer tant ils avaient chaud sous leur cagoule. Chacun à un coin de la maisonnette, ils placèrent une bouteille de laquelle dépassait un long ruban de tissu imprégné d'alcool. D'un commun accord, ils allumèrent les mèches. Puis, ils reculèrent et attendirent.

Quelques secondes passèrent. Le tonnerre gronda, à quelques kilomètres, un éclair zébra le ciel.

À l'instant où le liquide s'enflammait en un « bop » sourd, le verre de la bouteille se brisa bruyamment. Les premières gouttes de pluie tombèrent. Les intrus masqués détalèrent. Mission accomplie ! Cette fois-ci, les trois curieux comprendraient définitivement le message.

De leur côté, Erika et Olivia étaient au lit, pas forcément endormies d'ailleurs, lorsque les pompiers passèrent devant la maison, sirènes hurlantes. Ils se dirigeaient vers l'ouest ou le nord, sous un torrent qui tombait du ciel. Le vent qui soufflait en bourrasques s'était mis de la partie. Dans leurs chambres respectives, les deux jeunes femmes se levèrent d'un bond.

La première, Erika passa la tête par la fenêtre afin d'apercevoir quelque chose... À cet instant, un deuxième camion suivit, accompagné d'une voiture de police à fond de train. Ils tournèrent très distinctement dans la rue du Ruisseau. Dans cette direction, ne se trouvait qu'une seule chose susceptible de prendre feu. Elle le comprit aussi bien qu'Olivia, qui s'était glissée derrière elle. Bien que le camping où vivait Œil d'Aigle se trouve en contrebas, à un ou deux kilomètres, une immense clarté était apparue à travers le mur de pluie. On distinguait maintenant un halo lumineux. L'incendie d'une seule maison n'aurait pas alimenté un tel brasier. C'était tout le quartier qui brûlait ! En proie à la même horreur, les deux jeunes femmes se ruèrent littéralement sur leurs vêtements et s'habillèrent en toute hâte, avant de partir en voiture.

Erika eut à peine le temps de réfléchir. Elle était le premier médecin sur place! Pendant deux heures, elle travailla d'arrache-pied pour soigner les blessés, organiser les secours avec tous les volontaires qui se présentaient, et coordonner le départ des grands brûlés vers l'hôpital de Val-d'Or.

Vers la fin, alors que le flot de blessés décroissait en même temps que la pluie, elle leva la tête, croisant le regard... d'Adam. À sa grande surprise, le jeune libraire était là, en bras de chemise, noir de suie, le visage rougi par l'effort et la chaleur démente. Il haussa les épaules, et sans un mot, tourna son regard vers la droite. À côté de lui, assise par terre, se trouvait Olivia, en pleurs.

CHAPITRE 22

À la Une

LE BLOGUE DE **La Vigie**

Le journal
de votre région

11 JUILLET 2012
7h42, **Cassandre Hautclair**
SCÈNE POLICIÈRE, 450 MOTS

**Cassandre
Hautclair**

- Consulter
  sa biographie
- Lui écrire

**Incendie dans le quartier du Ruisseau
— 10 blessés graves, 1 mort**

**Un incendie d'origine inconnue a dévasté
la nuit dernière le quartier du Ruisseau,
provoquant la mort d'un homme.**

PARTICIPER
AU BLOGUE

Aucun témoin n'a assisté à la naissance du
feu qui, rapidement, s'est propagé de maison en maison. Les petits logements sont
en effet collés les uns aux autres, et le vent
était de la partie…
C'est un résident du secteur qui a contacté
les policiers qui, à leur tour, ont alerté les
pompiers. Ces derniers, suivis de plusieurs
autres bénévoles, sont arrivés sur les lieux
dix minutes seulement après l'appel. Mais,
ainsi que le précise Joanna Smith, capitaine
des pompiers bénévoles, «le vent très fort
a eu un rôle déterminant, c'était presque
trop tard».

10 derniers
articles
…

10 derniers
commentaires
…

Surtout des dégâts matériels et un mort. Cela n'a pas suffi pour éviter la dévastation de 21 logements, soit près de la moitié des habitations du quartier. « C'est un désastre ! Les assurances ne rembourseront jamais ! » a déclaré le gérant du camping. En effet, les dommages sont évalués à plus de 150 000 $. On ne déplore miraculeusement que des blessés par asphyxie ou par brûlures et un seul disparu. Un enfant du pays : Elijah Œil d'Aigle Bélisle. Le jeune homme de 25 ans n'a à notre connaissance ni relations ni famille proches. En fait, au moment d'écrire ces lignes, les décombres fumants n'ont pas encore été fouillés, ni son corps retrouvé.

L'aide s'organise

Le chef Jo Plume noire a d'ores et déjà annoncé la commande à une compagnie privée des logements préfabriqués qui accueilleront les personnes ayant perdu le leur. Une cellule de crise a été installée dans les locaux du Conseil de bande. Le gymnase de l'école a été ouvert en attendant que les logements temporaires arrivent de Val-d'Or. Toutes les denrées non périssables et le matériel comme des couvertures, des draps, des serviettes, du savon, etc., sont les bienvenus. Téléphonez au 1 800 555-5055. L'origine de cet incendie, qui est unique dans l'histoire de Natagamau, reste mystérieuse. La Police crie et la Sûreté du Québec ont ouvert une enquête. C'est maintenant au corps de police cri d'y travailler.

http://lavigie.canoe.ca/?s=p%E8drole&sentence=and&submit.*=rechercher

Quelques heures plus tard, revenues chez elles, les deux jeunes femmes étaient assises devant un café. À la même table, se trouvait Adam Jolicœur aussi silencieux et hagard qu'elles. L'esprit absent, Olivia paraissait encore plus sonnée que les deux autres.

Entre deux sanglots, elle leur avait décrit comment elle avait couru vers la maison mobile ; comment, à l'instant même où elle arrivait, la roulotte d'Œil d'Aigle avait été comme soufflée par le feu. À l'écouter, la petite habitation avait en quelque sorte explosé de l'intérieur. Apparemment, Olivia avait été projetée dans les airs. Elle croyait être restée évanouie, peut-être 30 secondes. Après, elle s'était relevée, les oreilles bourdonnantes. Elle avait assisté à l'arrivée des pompiers, des policiers et à toute la suite de l'opération, comme à l'extérieur de son propre corps. C'était étrange !

Depuis, elle semblait absente, enfermée vivante dans sa réflexion ou dans quelque cauchemar... Erika s'entendit parler.

— Oli, je sais que c'est un sacré coup du sort ! Je ne peux pas croire qu'Œil d'Aigle soit mort ! Est-ce qu'on est sûr qu'il se trouvait à l'intérieur, au moins ?

Elle faisait des efforts pour sortir son amie du mutisme dans lequel la tragédie l'avait plongée et tentait de trouver un élément capable d'allumer une lueur d'espoir dans ses yeux. Elle remarqua au passage ses traits affreusement défaits. Adam repartit à la cuisine faire du café. Olivia brisa à nouveau le silence.

— Je... Je ne sais pas quoi dire... je n'ai même pas eu le temps de lui dire que je l'aimais. C'est

idiot, non ? Comme dans un film, on s'est man-
qués... Même son fantôme en peine ne reviendra
pas, cette fois-ci ! Je comprends mieux mes rêves
maintenant ; j'aurais mieux fait de les considérer
comme des avertissements de ne pas revenir à
Natagamau !

Qu'y avait-il à ajouter ? Erika se leva et passa
les bras autour des épaules de son amie. Elles restèrent enlacées jusqu'à ce qu'Adam revienne, cafe-
tière en main. Il raconta comment, titulaire d'un
brevet de secouriste de la Croix-Rouge et habi-
tant non loin de là, il avait décidé spontanément
d'aller donner un coup de main sur les lieux du
sinistre. Il prit congé en promettant de revenir le
lendemain dans la matinée. « Ce gars-là ne peut
être mauvais », pensa fugacement la jeune médecin. Comme des zombies, elles se douchèrent et se
préparèrent machinalement à se coucher.

* *
*

Leur sommeil fut passablement agité, pour Olivia
en particulier. Dans son rêve, elle fuyait, pour-
suivie par un gigantesque incendie. Le feu avait
tout avalé sur son passage. La terre entière autour
d'elle n'était plus que cendres. Au milieu de ce paysage lunaire, elle courait à perdre haleine. Elle ne
savait pas depuis combien de temps. Elle ne sentait plus ses jambes. En revanche, elle percevait le
souffle chaud du feu dans son dos. Une odeur de
chair brûlée lui montait aux narines... La sienne ?
Mais, non ! C'était affreux : sur son chemin, elle
passait près d'un cadavre carbonisé, celui de sa
sœur ! Oui, sa sœur morte sous la neige, dont elle

voyait les restes noircis. Elle s'attarda afin de se recueillir et d'offrir une sépulture décente à Sarah, même au prix de sa propre vie !

Une partie d'elle-même désirait ardemment s'arrêter, ne plus lutter, se reposer, couchée à côté de son p'tit bout de chou, comme elle l'appelait à l'époque. Ah ! Son cœur désirait tellement − et depuis si longtemps − la rejoindre, retrouver la gaieté et l'entrain contagieux de l'enfant ! Être réunies dans la mort et en profiter comme jamais elles ne l'avaient fait.

Olivia voulait-elle vraiment finir comme elle ? Le feu la rattrapait. Chaque seconde perdue lui enlevait une chance de s'en sortir ! Au fond d'elle-même, elle savait qu'au bout, là-bas, il y avait la Grande Rivière... et Œil d'Aigle, qui l'attendait. Oui, Œil d'Aigle vivant ! Elle le savait, elle le sentait. Malgré son désespoir, cela la remplissait d'une confiance à toute épreuve.

Olivia se réveilla en sueur, épuisée, comme si elle avait vraiment couru. La lumière du jour passait à travers les persiennes. Il semblait faire soleil. Tout était encore calme dans la maison. Elle se leva avec la certitude, avec la conviction profonde qu'Œil d'Aigle avait survécu. Pourquoi ? Comment ? Elle n'aurait su le dire.

CHAPITRE 23

Le casse-tête

Olivia essayait de remettre ses idées en ordre, de regarder la vérité en face malgré ce rêve entêtant. Elle avait encore l'estomac noué, mais se risquait à manger des céréales quand Erika apparut sur le seuil de la cuisine. À première vue, elle avait également mal dormi, les cernes brunâtres sous ses yeux rougis en attestaient... Elle attaqua sans préambule.

— Salut Oli! J'ai réfléchi : je crois que nous devrions aller voir les pompiers et la police. Après tout, hier soir quand nous sommes partis, personne n'avait vu Œil d'Aigle, ni vivant... ni mort! Pourquoi ne s'en serait-il pas sorti?

— C'est ce que je me suis dit hier soir, mais j'ai eu la nuit pour réfléchir : pourquoi ne nous aurait-il pas rejointes? Pourquoi nous infliger une telle peine? Ça ne tient pas. Une partie de moi-même voudrait tant qu'il soit encore en vie, mais je dois me faire à l'idée contraire.

Loin de la soulager, faire l'avocat du diable provoqua une nouvelle crise de larmes. C'est à ce moment que l'on sonna. Erika abandonna son amie un instant pour voir qui osait les déranger.

– Bonjour Erika ! Je ne vous dérange pas au moins… Chose promise, chose due ! Et j'apporte en plus le déjeuner : croissants, chocolats, muffins tout chauds et tout le tralala. Tout le monde devrait y trouver son compte.

Merde, elle l'avait oublié ! Adam avait visiblement essayé de mettre un peu d'enthousiasme et de joie dans sa tirade. Tout de même, sa bonne humeur faisait chaud au cœur. Elle ne pouvait pas le laisser dehors. Avec ses sacs de viennoiseries et son air candide, il était si *cute*. Olivia donna son consentement d'un regard. Erika le fit entrer.

Tout en distribuant croissants et chocolatines, le jeune homme faisait la conversation. Après s'être enquis de l'état des filles, il fit diversion en leur parlant un peu de lui. Que pouvait-il faire d'autre ? La tête ailleurs, les deux amies écoutaient son babil d'une oreille distraite. L'ambiance redevint morose.

– … et voilà comment après une année à Berkeley, en Californie, je suis revenu. Seul et mineur, mon frère ne pouvait subsister. Après la mort de mes parents, il fallait qu'il soit pris en charge ! Je fais de mon mieux, mais je crois que je suis arrivé un peu trop tard. Je pense qu'il tourne mal. En tout cas, cette année, il est majeur, il a donc son appartement, mais pas encore de voiture, évidemment ! Enfin, ça vous le savez… Oh ! Cela ne saurait tarder, une question de semaines, d'après ce qu'il m'a dit. En attendant, j'en ai assez qu'il rapporte la mienne chaque fois un peu plus sale. C'est infect ! Il me dit qu'il va chasser, mais l'intérieur empeste, et pas seulement le gibier. Il faut ensuite deux jours avant qu'elle retrouve une apparence et une odeur à peu près normales. Bref, comme vous voyez, son bien-être me tient à cœur, il est la seule famille qu'il me reste dans le coin... J'espère qu'il ne fait pas de bêtises, il est influençable ; mais ni mes parents, ni moi ne l'avons élevé ainsi...

Le silence qui accueillit la fin de sa phrase laissa penser au naïf qu'Erika et Olivia étaient à l'écoute, pour ne pas dire suspendues à ses lèvres. Il crut bon de profiter de son avantage.

– En tout cas, si l'on doit se revoir, il faudra m'avertir, parce que je ne suis pas forcément très mobile. Par exemple, samedi soir prochain, si nous sortions pour boire un verre, ben, l'une d'entre vous devrait m'offrir le transport. Je suis à nouveau sans Jeep, mon frère me l'a encore demandée, je dois la lui laisser derrière le Club de chasse en fin de matinée.

Il s'attendait bien sûr à une réponse positive, peut-être même à une proposition pour aller le chercher au Club, mais il s'aperçut qu'Olivia, amorphe, avait le regard plongé dans son café, alors qu'Erika fixait un improbable point sur le mur devant elle. Il put admirer un instant le profil bien dessiné de la grande fille brune, ses lèvres ourlées et charnues... Son amour-propre le sortit de sa rêverie. Elles ne l'avaient même pas écouté ! L'avaient-elles entendu au moins ? Que faisait-il là avec deux filles qu'il ne connaissait pas 72 heures auparavant ? Il se dit que le moment était bien choisi pour faire un tour aux toilettes, afin de refouler l'agacement qu'il sentait monter en lui.

Erika se secoua un peu pour parler à Olivia. L'incendie revint immédiatement dans la discussion. Elles étaient en train d'en évoquer l'origine et d'accuser les trafiquants, lorsque Adam revint dans la cuisine. Il saisit la balle au bond ; l'ambiance semblait s'être animée.

— Vous aussi, avez entendu parler de ces trafiquants ? C'est vrai qu'ils font des dégâts, mais jusqu'à maintenant, personne n'a pu – ou n'a voulu – leur mettre le grappin dessus. C'est incroyable ! Ils nuisent considérablement à la communauté. S'il est vrai qu'une partie des bénéfices et des salaires de leurs employés est réinjectée dans l'économie locale, il n'en reste pas moins qu'ils entraînent de nombreux jeunes dans la dépendance à la drogue. Pour moi, c'est inexcusable ! Ensuite, ils blanchissent tout simplement l'argent... C'est insupportable de penser que l'argent qui nous passe entre les mains provient du poison qu'est la drogue. Pour les jeunes impliqués là-dedans, le but est de gagner rapidement de l'argent... mais à quel prix ? Et qu'en retirent-ils par ailleurs ? Quelle sorte de compétences développent-ils en transportant des sacs de drogue à Val-d'Or ou ailleurs ? Quel avenir pour eux ? Il vaudrait mieux encore leur offrir une chance de se réinsérer dans un centre spécialisé...

Adam s'emballait.

— Vous savez, je suis un peu au courant, je travaille bénévolement pour l'Observatoire local de la jeunesse... Vous connaissez ? Je sais combien il est dur de conscientiser les gens, surtout par ici. Beaucoup des habitants de Natagamau sont personnellement concernés. La situation peut affecter un ami, un membre de leur famille, proche ou lointaine...

— Tu ne crois pas si bien dire ! lança amèrement Olivia.

— Que... Qu'est-ce que tu veux dire par là ?

— Olivia généralisait, se dépêcha d'ajouter Erika. Elle voulait dire que nos voisins en étaient peut-être... Enfin, parles-tu sérieusement ? Un réseau de trafiquants de drogue ? Avec des substances qui seraient produites sur notre territoire ? La contrebande de cigarettes, je le savais, mais là...

Elle regarda son amie d'un air entendu. Pourquoi avoir lancé cette pique ? Si son frère était un trafiquant, Adam n'y était pour rien. À bien y penser, cela lui donnait une idée, leur dernière chance peut-être, maintenant qu'Œil d'Aigle n'était plus. Il fallait essayer...

Devant une Olivia stupéfaite, qui ouvrait de grands yeux incrédules, Erika raconta toute l'histoire à Adam. Absolument tout, depuis le début !

— Je n'ai pas besoin de te préciser qu'un des véhicules de notre liste est le tien et que, si ce n'est toi, c'est donc ton frère qui est membre de cette clique ! Bref, il est probablement au service de Joe Corley One, ce triste sire, et trempe donc dans une histoire pas vraiment légale...

Au fur et à mesure que le récit avançait, Adam fronçait les sourcils. Son expression se faisait plus soucieuse, voire choquée. Olivia instilla la goutte qui fit déborder le vase.

— En souhaitant que ton frère et ses amis n'aient rien à voir avec l'incendie et la mort d'Œil d'Aigle...

— Attendez, attendez, vous traitez mon frère de criminel depuis tout à l'heure... Et là, carrément de meurtrier ! Vous vous prenez pour qui ? Depuis le début, quand j'ai abordé Erika alors qu'elle me suivait, je suis resté *fair-play*. En retour, vous me manipulez depuis tout ce temps. Vous insultez ma famille, maintenant ? C'en est trop !

Ponctuant sa phrase d'un coup de poing, il se leva, prêt à partir.

— Attends, s'il te plaît ! Ne nous quitte pas ! La suite de notre enquête est entre tes mains. Si tu acceptes de nous aider, nous avons une chance de les coincer ; sans toi… et sans Œil d'Aigle, c'est compromis. Jamais nous ne t'avons pris pour un criminel, n'est-ce pas Oli ?

Erika quêta un peu d'aide auprès de son amie, sans succès. Il était trop tard. La porte d'entrée claqua sur les talons du jeune libraire. Erika essaya de comprendre les émotions qui se mêlaient dans sa tête : colère, honte, fierté… Adam valait mieux que le traitement qu'elle lui avait infligé, en fin de compte. En espérant qu'elle pourrait encore y changer quelque chose, elle courut à sa poursuite.

Adam marchait dans la rue, au hasard, l'esprit embrouillé. Il ne savait plus où il en était. Il aimait son petit frère, comment pourrait-il jamais le renier ? S'il advenait que le réseau de trafiquants soit démantelé, il y avait fort à parier que son frère serait arrêté. Il ne pouvait tout de même pas aider à envoyer son propre frère en prison ! Il devait le contacter pour qu'ils parlent tous les deux ; il devait savoir le fin mot de l'histoire. Son frère n'oserait pas lui mentir…

— Adam ! Adam !

Une voix féminine l'appelait. Erika courait vers lui… Une seconde, l'envie de s'enfuir à toutes jambes l'effleura, puis il se ravisa. Elle arriva à son niveau et mit la main sur son avant-bras, moins pour l'empêcher de fuir que pour l'inviter à considérer ce qu'elle disait.

— Je suis désolée, Adam, et Olivia aussi ; nous t'avons blessé. Je ne voudrais pas que tu penses...

Soudain, une boule en furie, armée d'un parapluie, s'interposa.

— Adam Jolicœur, tu me déçois beaucoup ! Tu ne m'avais pas dit que tes fins de semaine étaient occupées par une autre femme !

— Cassandre ? s'enquit Erika. Elle ne l'aurait pas reconnue tant le visage de la journaliste était déformé par la jalousie et la colère.

— Cassandre ? reprit Adam. Mais... Mais, je ne crois pas avoir de comptes à te rendre ! Sortir avec une fille une fois ou deux ne signifie pas l'exclusivité à vie, me semble-t-il.

— Peut-être pas chez toi, mais chez moi, oui ! rétorqua la jeune femme. Je ne sors pas avec n'importe qui, moi ! Si je t'ai choisi, si je t'ai suivi ce soir-là, c'est pour une raison. J'ai des sentiments à ton égard, pauvre idiot ! Tu ne l'avais donc pas compris ?

Elle tourna alors le regard vers Erika.

— J'y pense... Ne serait-ce pas plutôt elle qui t'a envoûté en te mettant des idées en tête ? Une grande brune auréolée de mystère arrive en ville, et hop ! On oublie Cassandre ! Tu es jolie, Erika, et intelligente avec ça, mais tu ne peux pas voler les *chums* des autres. Je te rappelle que je vous avais proposé une sortie entre filles, à toi et à Olivia ! Je croyais pouvoir te faire confiance. Je t'ai offert mon amitié, Erika, et tu la foules aux pieds !

Cette dernière resta abasourdie un moment. Toutefois, les dernières phrases de la tirade, accompagnées de trémolos dans la voix et d'effets de manche, furent de trop.

– OK! Je te promets que nous en discuterons. Je comprends ta douleur et nous trouverons une solution… mais pas maintenant! Je n'ai franchement pas le cœur à en discuter, après ce qui s'est passé hier…

– Ah oui, mère Teresa! J'ai appris que tu étais arrivée parmi les premiers au Ruisseau, la nuit dernière. Sacré brasier, hein? Tu as organisé les secours; beau travail, je t'admirerais presque… Lis mon prochain article sur le blogue de *La Vigie*, il y a un scoop! Je ne le partagerai pas avec toi, tu ne le mérites pas. Allez, Adam, je passe l'éponge, je sais que tu n'y es pour rien, c'est elle qui a voulu te mettre le grappin dessus, elle a du goût, voilà tout. Mais, tu es à moi! Et toi – un doigt aux ongles parfaitement manucurés et multicolores était pointé sur Erika – sache que tu es désormais dans mon collimateur et que je t'ai à l'œil!

D'autorité, elle le prit par la main et tourna les talons. Erika les regarda s'éloigner d'un pas énergique vers la Beetle vert pomme. Adam se retourna une fois, sans qu'elle puisse déchiffrer ce qu'il éprouvait. Subitement, le *beeper* d'Erika vibra : l'hôpital l'appelait.

CHAPITRE 24

Urgence

Œil d'Aigle était vivant ; c'est pourquoi l'hôpital l'avait contactée. Il était en assez mauvais état, d'après le rapport des ambulanciers, mais ses jours n'étaient pas en danger. Dans le coma, brûlé et commotionné, mais vivant ! Olivia la rejoindrait d'une minute à l'autre : c'était l'avantage d'habiter en face d'un hôpital.

La journée passa lentement en conjectures et en prières pour l'une, en analyse et en actes médicaux, pour l'autre. Le soir venu, quand elle fut certaine que le malade était stabilisé et que sa présence n'était plus nécessaire, Erika avertit qu'elle repartait chez elle pour prendre un peu de repos. Elle cueillit son amie, toujours agglutinée à la vitre derrière laquelle se trouvait le miraculé.

Il avait été retrouvé sous des décombres, lors des opérations de nettoyage du matin. Erika en avait déduit qu'il avait subi le souffle de l'explosion avant d'être brûlé par la proximité de l'incendie, sans se retrouver lui même dans le feu. L'équipe d'urgence l'avait maintenu toute la journée inconscient pour effectuer quelques menues opérations, dont un peu de chirurgie de réparation. C'était mieux ainsi. Il se réveillerait demain, probablement.

Les docteures se laissèrent une journée de répit, manière originale de commencer la semaine. Malgré la bonne nouvelle qui leur redonnait un peu d'énergie, Olivia et elle avaient décidé de se reposer. Leurs cabinets resteraient fermés.

*   *

*

Un lundi matin comme les autres ? Pas vraiment. Profitant de l'absence de son amie, qui était allée voir Œil d'Aigle, Erika prit rapidement sa douche. Ainsi, elle n'aurait rien d'autre à faire qu'épauler son amie, lorsqu'elle serait de retour. Maintenant qu'elle se sentait reposée, elle devait absolument se ressaisir psychologiquement. Les deux filles avaient une chance d'achever ce qu'elles avaient commencé en allant voir Œil d'Aigle trois semaines plus tôt. Même sans lui, ou pour lui, justement !

Ce serait aujourd'hui ou jamais ! « Si les trafiquants étaient bel et bien à l'origine du sinistre, ils doivent penser en avoir terminé avec nous deux », se dit-elle. Bon, c'est vrai que l'investigation officielle n'avait encore rien prouvé, tout juste les policiers avaient-ils découvert des tessons de bouteilles avec des bouts de chiffons qui faisaient penser à des cocktails Molotov... L'enquête piétinait quant aux auteurs de ce véritable attentat qui avait ravagé tout un quartier de la ville. Croyant avoir neutralisé leurs adversaires, les malandrins baisseraient probablement leur garde, comme l'avait prédit Œil d'Aigle à une étape précédente... et là...

elles frapperaient! Elle ne put s'empêcher de pleurer en se rappelant ses paroles, encore incapable d'admettre qu'il ait pu survivre.

Une fois redescendue à la cuisine, elle fit part de ses réflexions à Olivia, revenue entre-temps. La réponse fut immédiate.

– Oui! Compte tenu du chemin parcouru depuis trois semaines, je suis d'accord avec toi. Nous devons aller jusqu'au bout. Par contre, je ne crois pas que notre grand malade approuvera cette initiative. Bon, physiquement, il n'aura pas vraiment les moyens de nous arrêter...

– Au moins, que ce qu'ils ont infligé à la ville et à ton amoureux – Olivia lui lança un regard noir – ne reste pas impuni!

– Grâce à Adam Jolicœur, nous savons où et quand les retrouver. D'ici à samedi, nous avons le temps de nous requinquer.

* *
*

La grande nouvelle du vendredi fut la sortie d'hôpital d'Œil d'Aigle... et son déménagement chez Erika. C'est assez naturellement que la jeune femme avait proposé à son ami de venir habiter chez elle.

– Tu n'as plus de toit, tu n'as pas de famille proche, tu ne travailles pas – et donc, tu n'as pour ainsi dire aucun revenu; tu es en convalescence... Permets-moi de te dire que tu es dans le pétrin...

– Je te remercie pour ta franchise! avait répondu le grand Amérindien, mi-figue mi-raisin; il n'y a que des amis pour parler ainsi... ou des ennemis à mort! avait-il ajouté en souriant. Tu fais certainement partie des premiers. Je suis lucide, je sais que ma situation est plutôt précaire...

– C'est un euphémisme, s'était permis d'ajouter Olivia.

– En plus, tu auras ton médecin à domicile, argument non négligeable, hein ? Avoue que c'est plus pratique également...

– Je te le concède et je le prends bien ; je serai très heureux de vivre à vos côtés, précisa-t-il en lançant une œillade éloquente à Olivia.

– Par chance, nous avons une troisième chambre ; de cette manière, tu conserveras ton intimité.

– Qui n'a pas rêvé de vivre avec ses amis ? conclut-il.

Comme il ne lui restait presque plus rien suite à l'incendie, nul besoin de louer un camion ! Il fallut seulement magasiner un peu afin qu'Œil d'Aigle puisse s'habiller décemment, même s'il devait sortir peu de sa chambre.

Le vendredi soir, tout en soupant à table, puisqu'il était autorisé à se lever maintenant, il avait questionné les deux filles sur ce qu'elles envisageaient d'entreprendre par rapport à la bande du Señor Joe. Au cours d'une de ses visites quotidiennes, Olivia n'avait pu lui cacher que la filature d'Adam Jolicœur avait porté des fruits. Il revenait donc à la charge. Erika avait servi de porte-parole ; Olivia préférait la laisser parler de peur d'en dire trop ou de mentir devant l'homme qu'elle aimait, même si le mensonge par omission demeurait malhonnête.

– Eh bien, nous hésitons encore à intervenir ; il serait tentant de retourner assister à une autre livraison près du lac Inconnu, mais mieux préparées. Avec certaines précautions et prudemment...

— S'ils ont pu mettre le feu au Ruisseau, imaginez de quoi ils seraient capables la prochaine fois ; pourquoi ne pas attendre encore un peu ? Ils ne vont pas arrêter leur activité demain.

— Non, bien sûr, fut obligée de concéder la grande brune... Mais l'occasion est belle, et comme tu nous l'as dit, ils comptent certainement nous avoir neutralisés, sinon intimidés, après cet acte odieux.

— Bref, vous y allez ou pas ?

Œil d'Aigle désirait connaître le fin mot de l'histoire.

— Nous allons suivre tes conseils, dors sur tes deux oreilles. Tu nous as convaincues : nous attendrons ton rétablissement complet pour envisager quoi que ce soit. C'est mieux ainsi, n'est ce pas Oli ?

Les filles se consultèrent du regard. Œil d'Aigle n'était pas dupe. Il lut dans leurs pensées. Il savait pertinemment que ses deux amies avaient de la suite dans les idées ; cette détermination, conjuguée à des caractères impétueux et intrépides, pouvait les conduire à exposer encore un peu plus leurs vies. Il n'acceptait pas qu'elles se mettent en danger. Malheureusement, il n'avait pas les moyens physiques de contrôler leurs agissements. Il devrait trouver une autre solution.

CHAPITRE 25

Dans la gueule du loup

Le samedi 18 juillet au matin, après une semaine où le beau temps l'avait disputé à la situation de crise que connaissait la ville, une pluie fine et pénétrante avait pris le dessus. Le temps qu'Olivia prenne une douche, les deux jeunes femmes étaient à nouveau sur le pied de guerre. Provisions et vêtements bien rangés dans leurs sacs, elles étaient déterminées à donner l'estocade au Señor Joe et à son organisation.

En seulement quelques heures, le temps se refroidit. Une fois dehors, elles ne remarquèrent même pas la Beetle vert pomme stationnée à vingt mètres de la maison, sur le même trottoir. Si elles avaient porté attention à la petite voiture, elles se seraient aperçues que les vitres étaient couvertes de buée. À l'intérieur, Cassandre Hautclair était elle aussi prête au combat. Elle avait passé une bonne partie de sa semaine à garder à l'œil les deux bolées, comme elles les appelait désormais – uniquement dans sa tête, bien sûr. Se sentant trahie et méprisée, elle les détestait maintenant plus que quiconque. Cependant, la jeune journaliste était prête à faire abstraction, provisoirement, de sa rancœur, si le sacrifice lui rapportait un bon scoop !

Elle avait continué à couvrir l'incendie du Ruisseau, en bonne professionnelle qu'elle était. Un reportage exclusif lui servirait de marchepied vers plus de responsabilités et le poste de rédacteur en chef, qu'elle avait dans sa mire. Les policiers avaient maintenant la certitude – la preuve – qu'il s'agissait d'un crime, ce qui rendait le mystère d'autant plus excitant. Ajoutons au suspense les confidences du bel Adam obtenues dans la douleur, puisqu'il lui avait déclaré qu'il ne voulait plus la voir, pour son plus grand malheur. Pour son plus grand bonheur, toutefois, elle avait désormais des renseignements de première main sur ce que tramaient Erika, Olivia et Elijah Bélisle. La jeune journaliste était convaincue que l'énigme tournait autour du trio. Son intuition lui faisait entrevoir quelque chose de gros.

L'air était gorgé d'humidité, les nuages restaient menaçants. Quand la vieille Chevy d'Erika et Olivia arriva en vue du Club de chasse, une pluie drue tombait, gênant considérablement la visibilité.

Aux abords du bâtiment en rondins, tout était très calme, peu de voitures se trouvaient dans le stationnement. Le vieux pick-up les mena sans encombre sur le chemin qui faisait le tour du domaine. Un grillage de plus de deux mètres en délimitait le périmètre. Elles trouvèrent à se garer non loin de l'endroit qu'avait indiqué Adam sans se douter que les filles avaient non seulement entendu ce qu'il disait, mais l'avaient aussi gardé en mémoire. Elles s'aperçurent que ce n'était à peine mieux à pied qu'en voiture. Déjà, l'eau passait désagréablement à travers leurs vêtements.

— Est-ce que tu as des pinces pour couper le grillage ? demanda Erika.

— Non, je ne pensais franchement pas en avoir besoin... En temps normal, un grillage, on peut y grimper ! En plus...

— Bien ! Il ne nous reste plus qu'à l'enjamber ! conclut la grande brune sur un ton fataliste, sans la laisser terminer.

Sans plus tarder, elle se mit à l'œuvre. C'était sans compter avec les pointes qui dépassaient en haut du grillage. Elle se retrouva finalement de l'autre côté, mais les vêtements déchirés, des égratignures plein les mains et une belle estafilade sur la joue. Ce ne fut pas mieux pour Olivia.

Elles en vinrent à patauger dans une herbe assez courte, mais gorgée d'eau. En dépit de cela, elles avancèrent assez vite. Toutes deux se dirigèrent ensuite à vue de nez vers l'arrière du club, où auraient dû se trouver les trafiquants... qui n'y étaient pas !

— Personne ! C'était trop facile ! Je rêve ! Tout ça pour ça, ronchonna Olivia. C'est vraiment un coup d'épée dans l'eau, ajouta-t-elle, amère, des mèches de cheveux dégoulinantes collées au visage.

— Oh ! Mais, attends ! Peut-être pas... Je ne suis pas une experte, mais il me semble y avoir là des traces fraîches de pneus, de bottes et... Tiens ! Même des mégots de cigarettes ! Regarde ! Les mêmes que celles que nous avions trouvées au lac !

Erika s'était penchée et avait ramassé les mégots par terre. En effet, l'endroit paraissait avoir reçu de la visite récemment, si l'on en jugeait par la netteté des traces. Les apprenties détectives étaient-elles tout simplement arrivées trop tard ?

— Bon, retournons à l'auto ! proposa Erika. Là, nous verrons bien ce qu'il y a lieu de faire. Avant tout, j'aurais aimé désinfecter nos égratignures.

Olivia était frigorifiée quand elle entra dans la voiture. Un premier éternuement et voilà, elle s'était enrhumée ! Elle s'empressa néanmoins de reconsidérer les options qui leur restaient. Une seule retint son attention, cependant : continuer ! Elle avait une petite idée de la prochaine étape de leur périple...

— Où, d'après toi, Rikki, a-t-on encore une chance de les trouver, parce que nous savons qu'ils s'y réunissent pour réceptionner les colis du ciel ?

— Oui ! Tu as raison ! répondit Erika. Autant finir par là où tout a commencé. Avec un peu de chance, nous y arriverons en milieu d'après-midi... peut-être à temps, cette fois-ci.

Ce fut le cas. Elles retrouvèrent la piste et le point d'observation aisément. Le groupe d'hommes les avait effectivement précédées. Elles stationnèrent le pick-up plus proche que la première fois, mais à l'abri des regards. Le soleil ne leur ferait certainement pas de traîtrise aujourd'hui.

Malheureusement, cette bruine empêcherait par la même occasion toute visibilité : malgré le gros zoom de l'appareil-photo, elles allaient devoir se rapprocher.

— Nous ne les voyons pas bien, mais eux non plus ne voient pas bien. Nous devrions pouvoir nous déplacer par la droite sans être vues, en passant entre les monticules... Tu vois... Erika montrait du doigt deux élévations minuscules un peu plus loin. Elle semblait optimiste.

— Allons-y, qu'on en finisse ! Je commence à avoir des frissons, rétorqua Olivia en retenant un autre éternuement.

Quelque vingt minutes plus tard, elles avaient réussi à s'approcher à moins de cinquante mètres du rassemblement. La pluie avait perdu de son intensité, l'activité continuait.

Au beau milieu de cette agitation, une seule personne ne bougeait presque pas : une espèce de cow-boy d'opérette mâtiné de mexicain (sous sa gabardine de vacher, elles pouvaient distinguer des jeans, des santiags et un gilet en cuir). Pour le couronner, un sombrero noir à pompons dorés.

— L'homme à la Lamborghini ! s'exclama Olivia, qui reconnut avec horreur le fou furieux dont elle avait déjà croisé le chemin par deux fois. C'était donc lui le fameux Señor Joe d'Œil d'Aigle ? Quelle coïncidence !

Après quelques minutes d'attente, elles entendirent un vrombissement familier au-dessus du plafond nuageux. Il grossit jusqu'à devenir une sorte de gros ronflement. Le même avion Transat gris émergea au-dessus d'elles. Comme la fois précédente, il parachuta un chapelet d'énormes colis, à basse altitude.

Les trafiquants ouvrirent les colis et en divisèrent le contenu en ballots ; ils les répartissaient et les chargeaient dans leurs véhicules respectifs. Elles reconnurent sans peine celui du frère d'Adam. Ah ! Ils avaient terminé et se préparaient maintenant à partir. Chacun alla vers sa voiture ou son camion. Les moteurs ronflèrent.

Les deux jeunes femmes étaient plutôt contentes : elles avaient pris quantité de clichés compromettants, parfois de très gros plans. Olivia rangea son matériel, en évitant de réfléchir à ce qui pourrait advenir d'elles si elles étaient prises et que le roquet à moustaches la reconnaissait. Par réflexe, Erika enleva la carte mémoire de son appareil et la glissa dans une de ses chaussettes... Elles s'apprêtaient à partir, quand soudain... plus un bruit !

Elles levèrent la tête pour s'apercevoir que les véhicules, au lieu de prendre la piste, s'étaient disposés en cercle à une vingtaine de mètres d'elles. Une voix d'homme à l'accent roulant s'éleva alors.

— Mesdamé, bonyour ! Beillez s'il bou plaît bou léver, les mains en l'air. Lâchez cé qué bous ténez ! Laissez tout tomber à terre, nous allons lé ramasser. Sourtout, pas de yestes brousqués !

Les yeux baissés pour dissimuler ses traits, Olivia tourna la tête pour lancer un regard éloquent à Erika : la partie était terminée. Elles avaient perdu !

Un cri sauvage retentit alors dans la plaine.

— NON !

Tout le monde se tourna dans la direction d'où venait le hurlement. Une femme au bord de l'hystérie s'agitait, Cassandre surgie du néant ! Les deux amies n'en croyaient pas leurs yeux. La jeune journaliste était reconnaissable à sa silhouette ronde et à ses petits pas énergiques qui se dirigeaient cette fois-ci droits sur... le Señor Joe. Son maquillage avait coulé sur ses joues ; elle se l'était répandu autour des yeux en les essuyant, ce qui accentuait ses cernes ; son tailleur rose était détrempé ; ses cheveux tombaient sur son visage comme une serpillère. Son état lamentable ne l'empêcha pas de s'adresser au caïd avec aplomb et d'une voix suraiguë. Sa colère éclatait.

– Non ! Elles sont à moi ! Elles me doivent une petite explication. Nous allons l'avoir ici et maintenant. Elle montrait évidemment Erika et Olivia.

Un des butors s'interposa.

– Oh ! Là ! Ma petite dame… Je crois pas que ça se passera comme ça !

L'attention des sbires de Joe Corley One avait été détournée. Ils avancèrent d'un pas. Cassandre en fit autant vers eux…

– Qui vous êtes, d'abord ? C'est pas vos affaires, alors retournez…

Le garde ne termina jamais sa phrase. La journaliste en furie brandit un spray au poivre, un de ces petits engins qui tiennent dans le sac… ou dans la main. Elle aspergea généreusement le visage à hauteur des yeux. Un autre homme sauta sur la journaliste et essuya la même sanction. Bientôt, ce ne fut plus que hurlements. Un certain désordre suivit. Les armes étaient sorties… Les deux amies échangèrent un regard qui signifiait « Filons ! Vite ! ». Elles reculèrent à toute vitesse vers le monticule pour s'y abriter et y retrouver une Cassandre, toujours armée, qui avait fait le même calcul.

– Que fais-tu là ? Est-ce que tout ce que tu as dit est sérieux ? T'as sauté une coche ou quoi ? Olivia était à la fois interloquée et furieuse.

– Ne bougez pas ! Non, ce n'est pas une simple crise de jalousie ! C'est vrai, les filles, que j'aurais pu vous laisser entre les griffes des ces rigolos… L'idée m'a effleurée, mais, franchement, je préfère vous garder sous la main. Appelez ça de la bonne conscience. Attendez un tout petit peu et vous allez comprendre…

Un ange passa. Elles n'eurent pas longtemps à attendre. Un autre bourdonnement venu du ciel arriva à leurs oreilles, assorti de sirènes qui semblaient venir de toutes parts. La cavalerie arrivait : hélicoptères et véhicules motorisés. Elles se retrouvèrent bientôt encerclées une nouvelles fois, mais par les forces de police. Elles étaient prises dans la même nasse que le groupe de trafiquants. Consternées, les deux amies réagirent chacune à leur manière, l'une levant les yeux au ciel, l'autre secouant la tête comme pour se réveiller.

Seule Cassandre semblait savoir de quoi il s'agissait exactement. Sur son visage joufflu s'étalait un grand sourire victorieux. Elle venait de gagner le poste de rédacteur en chef de *La Vigie* !

Épilogue

Une silhouette massive, qui n'était pas sans rappeler celle d'un ours debout sur ses deux pattes, se découpa derrière le vitrail coloré du vestibule. «Une visite en cette fin d'après-midi dominicale! Personne n'a téléphoné pour annoncer sa venue», pensa Erika.

– Jack, bonjour! J'ai l'impression que nous venons à peine de nous quitter.

– Ben, en fait, c'est à peu près le cas, Rikki, bien que nous n'ayons échangé que quelques mots. Quelqu'un d'autre a pris vos dépositions au poste de police, hier au soir, mais j'ai assisté de loin à votre arrestation. Après coup, je me suis dit que nous vous devions à notre tour des explications, compte tenu du rôle que vous avez joué dans l'opération Clandestino, au lac Inconnu.

– Il nous manque en effet des morceaux de puzzle. Entrez donc, je vais appeler Oli et Œil d'Aigle à la cuisine.

Quelques minutes plus tard, ils étaient tous les trois attablés avec Jack Cambers, devant un café. Le chef adjoint de la police crie attendait – pour une fois – que les questions lui soient posées. Olivia brisa la glace.

— Personne n'a rien voulu nous dire au poste de police, mais pendant plusieurs semaines, nous nous sommes battus contre un ennemi plus ou moins connu, dont nous ignorions l'activité exacte... Tout en sachant que c'était illégal. Quelle était donc l'activité à laquelle le Señor Joe se livrait ?

— Primo, votre ami, Joe Corley One, le moustachu du lac Inconnu, chapeau de cow-boy et veste à franges, était bel et bien le propriétaire de l'hacienda. Celui que vous appeliez le Señor Joe était à la tête d'une entreprise de transformation de matières premières. Jusque là rien d'illégal, me direz-vous. Sauf que, secundo, c'étaient des ballots du chanvre le plus pur qu'il recevait lors des largages, avant de le transformer en drogue et de l'envoyer partout dans l'est du Canada. Nous l'avions dans le collimateur depuis un an déjà.

— C'est donc ça ! s'exclama Œil d'Aigle. J'ai senti cette odeur assez caractéristique lorsque j'ai été détenu à l'hacienda, mais je n'en étais pas sûr... Enfin, je me doutais bien que ce n'était pas juste de la contrebande de cigarettes.

Le grand policier but une longue gorgée, avant de continuer.

— Tu as du flair, petit, c'est bien... C'est vrai que les cigarettes, on connaît ça, mais ce n'est pas vraiment notre priorité, parce que ce n'est pas ce qui cause les dommages les plus importants... Les problèmes de drogue, en revanche, c'est du sérieux, y compris chez nous. Où en étais-je ? Ah ! Oui, donc, évidemment, aucune trace de gibier ou de cigarettes, ce à quoi nous nous attendions au départ. Après la maison elle-même, nous visitons les dépendances, et surtout le sous-sol... très bien aménagé. Et là, surprise ! Sur toute la surface, une sorte de laboratoire avec chaîne de production high-tech. Difficile d'en déterminer la fonction pour un néophyte comme moi! Je n'y connais pas grand-chose, mais les techniciens de l'UMECO-Autochtone[1] qui étaient sur le coup, si... Des éprouvettes, des becs de gaz, des flacons, tout cela bien propre avec quelques gars habillés en blanc, masqués et gantés. Vous l'avez peut-être deviné, c'était un laboratoire de transformation qui pouvait fournir jusqu'à cinq tonnes de cocaïne par an... équivalent à un milliard de dollars, vous imaginez?

Accrochés par le récit du vénérable adjoint de police, les trois amis attendaient la suite.

— Ils approvisionnaient le marché montréalais très facilement : c'est très pratique d'avoir un petit aéroport civil à disposition, sans surveillance digne de ce nom (nous sommes quatre policiers pour toute la région, pensez!) et pas de douane. Cela rapproche considérablement la métropole, tout d'un coup! Qui irait chercher des trafiquants de drogue dans un coin comme le nôtre?

— Effectivement, je ne pensais pas forcément à ce genre de trafic, confirma Œil d'Aigle qui restait en outre très impressionné par la diligence du corps policier. Mais, vous avez mentionné que vous les surveilliez depuis un an... Alors, mon coup de téléphone au poste samedi matin, soit 6 heures environ avant l'intervention, n'a servi à rien?

---

1. Créée en 2004, l'Unité mixte d'enquête sur le crime organisé est une équipe formée d'enquêteurs de la Sécurité du Québec (SQ), de la Gendarmerie royale du Canada (GRC) et de l'Association des chefs de police des Premières nations du Québec.

– Au contraire, d'après ce qu'ils nous ont dit, le Señor Joe était sur le point de jouer dans la cour des grands ; il voulait se lancer dans l'export, notamment en direction des États-Unis. D'où l'importance de cet arrivage. Ton appel nous a permis de le coincer au bon moment, lui et presque toute son organisation locale. C'est majeur. L'UMECO n'avait pas réussi un aussi joli coup de filet depuis le démantèlement du réseau montréalais en 2005. Bref, les trafiquants étaient prêts à tout pour préserver leur *business* des curieux. Vous avez eu d'autant plus de chance d'en réchapper…

– J'ai une autre question, esquissa Erika en levant timidement la main, comme une élève en classe. Pouvez-vous nous expliquer l'expression victorieuse sur le visage de Cassandre Hautclair au moment où vous avez débarqué ? Nous étions face à face, elle et moi. J'ai vu qu'elle n'était pas surprise, même plutôt soulagée.

– C'est tout simple. Vous savez qu'Œil d'Aigle nous a en fait contactés, quand il a compris que vous alliez continuer l'enquête pour de bon et pister la bande de Corley One. Eh bien, Cassandre avait également fait ses déductions. Elle a ses défauts, par contre, elle est futée et intuitive. Elle est de notre côté, soyez-en sûrs. Hier, en début d'après-midi, elle a senti qu'il faudrait du renfort. Son message texte nous a confirmé l'urgence d'intervenir… Évidemment, nous ne lui avons pas dit qu'Œil d'Aigle nous avait déjà raconté tout ce qu'il savait. Je présume que son visage satisfait vient de là : elle pensait, et pense encore, être à l'origine de ce coup de filet historique dans la région.

– Effectivement, je crois que c'est le cas : je suis allée sur le site du journal, ce midi, confirma

Erika. À la lire, on dirait que c'est elle qui a fait tout le boulot et pris tous les risques. Elle promet un grand article, qui récapitulera les détails de l'affaire dans les semaines à venir. Pour ce qui est d'être du bon bord, je n'en suis pas si sûre, mais...

— En tout cas, sachez que le corps de police sait ce qu'il doit à votre conduite inconsciente, ajouta le policier, non sans humour.

— Euh ! Je tenais à préciser que je n'ai jamais voulu jouer au justicier masqué, qui impose sa loi à coups de fusil. Nous avons opéré en douceur, sans violence, toujours avec l'idée de laisser la police faire son travail. Pas vrai, les filles ?

— Je vous crois, je vous crois... D'ailleurs, il n'y aura pas de remise de médailles. Mais, grâce à vos investigations et à vos témoignages – plus qu'à celui de Cassandre, qui n'a fait que vous suivre depuis une semaine – et grâce aux photos de la carte-mémoire de Rikki, nous avons pu boucler quinze personnes. Le dossier monté par votre grand ami ici présent n'y est pas pour rien ! ajouta-t-il en désignant Œil d'Aigle. Enfin, la plupart des truands impliqués ne sont que des seconds couteaux qui devraient rester derrière les barreaux moins de dix ans. En revanche, pour notre Mexicain d'opérette et ses hommes de main qui ont participé au cambriolage ou qui ont mis le feu au Ruisseau – même s'ils ne visaient que la maison mobile d'Œil d'Aigle – la note risque d'être salée...

— Justement, intervint Erika, soudainement plus soucieuse, j'aimerais savoir ce qui va arriver au frère d'Adam Jolicœur. Ce dernier nous a aidés en quelque sorte, d'une part en nous donnant des informations cruciales sur le lieu et le moment de l'opération, mais surtout en ne divulguant rien de ce que je lui avais confié. Alors que j'avais trahi sa confiance, il a quand même choisi de tout garder pour lui. Sans ça, nous ne serions pas là aujourd'hui, je crois, et vous n'auriez pas l'opportunité de boucler tout ce beau monde. C'est une personne de qualité ; et il disait que son frère, qui est à peine majeur, était très influençable, alors...

— Je t'arrête là, enfin façon de parler. Comme tu le dis, Caïn Jolicœur est majeur, je ne crois pas qu'il ait droit à un traitement de faveur parce qu'il s'est laissé influencer ! Ce sera à son avocat de soulever ce genre d'arguments pour le défendre... D'autant qu'il est un de ces gars qui appartenaient à la garde rapprochée de Joe Corley One, et ce dernier les a mandatés pour mener des actions d'éclat qui vous concernent : intrusion et menaces de mort, kidnapping, ainsi que tentative de meurtre, trois chefs d'inculpation auxquels s'ajoutent le gangstérisme, la possession de drogue, d'armes prohibées, etc. Même si je ne suis pas juge et ne peux garantir le résultat de l'enquête ni celui du procès, d'après moi, il va écoper. Je suis désolé, Rikki, pour ton ami qui m'a l'air d'être un gars bien...

Erika ne répondit pas : qu'y avait-il à ajouter ? Elle aurait simplement une conversation sérieuse avec Adam, elle lui devait bien ça.

— Ah ! En parlant de gars bien, Œil d'Aigle, tant que j'y pense... Après en avoir discuté avec les collègues et le chef Plume noire, je crois que nous pourrions t'offrir une place de stagiaire au sein du corps de police crie. Tu devras t'inscrire au cours de techniques policières au Cégep de Chibougamau, dont une grande partie se donne par correspondance, si mes souvenirs sont bons.

Avec ton passé dans l'armée et les qualités que tu as montrées lors de cette affaire, je crois qu'il y a mieux à faire pour toi que croupir au fond du Ruisseau, non ?

Œil d'Aigle resta coi devant l'offre directe et généreuse du policier aguerri.

– Réfléchis et donne-moi ta réponse dans la semaine, ce sera suffisant.

– Merci, Jack, du fond du cœur. Je sais que vous étiez le meilleur ami de mon père, je suis certain qu'il serait heureux de pouvoir vous entendre.

Jack Cambers se tourna alors vers les deux filles, une lueur espiègle dans les yeux.

– Maintenant que le Club des quatre, ou plutôt des trois, pour l'instant, est de retour... je crois que les étoiles sont à nouveau alignées pour vous. Ne vous reste plus qu'à faire l'acquisition d'un chien... Rikki, tu as retrouvé tes deux amis ; Oli, tu as retrouvé Rikki et surtout Œil d'Aigle, et tout semble bien se passer entre vous...

Son regard s'attarda une seconde sur la table, en direction de la main qu'Olivia avait discrètement prise dans la sienne, à l'annonce de l'offre d'emploi. Erika profita de ce moment-là pour exprimer sa surprise.

– Mais, mais comment êtes-vous au courant pour les Club des quatre ?

– Oh ! Tout se sait dans une petite ville, Rikki. Les gens se voient et se parlent. Déjà, tout jeunes, vous aviez le don de vous faire remarquer et de vous lancer dans toutes sortes d'aventures, si je me souviens bien... Sur ce, je vous laisse à votre soirée. Nous nous reverrons.

Jack Cambers prit donc congé en cette fin de dimanche. Nous étions le 12 juillet. À ce moment-là, un rai de lumière transperça le manteau gris qui couvrait la ville depuis deux jours ; le vent de l'ouest vint chasser les derniers nuages, résidus malsains de ce début d'été un peu fou pour les trois amis. La saison serait magnifique.

À l'instant précis où les trois jeunes gens avaient décidé d'un commun accord d'aller se coucher, la sonnette se fit entendre. Qui pouvait bien les déranger encore ? Quoique encore épuisée, Olivia se traîna vers l'entrée, alors que les autres commençaient à monter aux chambres. La porte s'ouvrit et une voix féminine au ton affecté résonna :

– Bonjour, excusez-moi de vous déranger, est-ce bien ici qu'habite Erika Picbois ?

Avant même qu'Olivia ne réponde, Erika sut qu'elle n'était pas au bout de ses ennuis…

À propos de l'auteur

Didier Périès est né en 1971, à Toulouse, dans le sud-ouest de la France. Il a passé une enfance heureuse et assez privilégiée, entre les études, les sports, les voyages, les nombreuses lectures, la découverte de la philosophie, de la poésie et de l'écriture, tout cela au sein d'une famille multigénérationnelle bien attachée à son terroir : celui du foie gras, des magrets de canard, du cassoulet et du bon vin !

Didier a commencé à voyager à l'âge de 12 ans en Europe, notamment grâce à un programme d'échange avec l'Allemagne (puisqu'en France, les jeunes apprennent une première langue étrangère à partir de 11 ans et une seconde à 13 ans). Après cela, le virus du voyage ne l'a jamais plus quitté... Au sortir de l'adolescence, il a continué à s'intéresser aux « ailleurs » géographiques (Pays-bas, États-Unis, Irlande, Indonésie), mais aussi virtuels, grâce à la littérature. Il compte bien maintenant explorer un peu plus l'Amérique centrale et l'Amérique du sud.

Avant d'immigrer au Canada, avec son épouse et ses deux filles, en 2005, il a enseigné le français, la littérature, le théâtre et le FLE (Français Langue Étrangère), en France, au lycée et à l'université pendant huit ans.

Didier Périès est un homme d'action et... de « combat ». Dans les années 1990, est venue s'ajouter à une pratique sportive régulière et variée (soccer, basket-ball, rugby, tennis, triathlon), celle des arts martiaux traditionnels japonais, notamment des armes (sabre, bâtons, hallebarde, lance...) dans le cadre d'une école traditionnelle, Oshinkan, au sein de laquelle il évolue encore aujourd'hui en tant qu'instructeur et unique représentant au Canada.

Depuis son arrivée dans la région de l'Outaouais, cet auteur « hyperactif » continue à s'accomplir dans ce qu'il sait faire le mieux : enseigner le théâtre, les arts martiaux, le rugby, le français, la littérature... et, par-dessus tout, écrire de la poésie et des récits. Il affirme ne pas pouvoir s'en passer.

Table des matières

14/18

Collection dirigée par Renée Joyal

FORAND, Claude. *Ainsi parle le Saigneur* (polar), 2007.

FORAND, Claude. *On fait quoi avec le cadavre ?* (nouvelles), 2009.

FORAND, Claude. *Un moine trop bavard* (polar), 2011.

LAFRAMBOISE, Michèle. *Le projet Ithuriel*, 2012.

LAROCQUE, Jean-Claude et Denis SAUVÉ. *Étienne Brûlé. Le fils de Champlain* (Tome 1), 2010.

LAROCQUE, Jean-Claude et Denis SAUVÉ. *Étienne Brûlé. Le fils des Hurons* (Tome 2), 2010.

LAROCQUE, Jean-Claude et Denis SAUVÉ. *Étienne Brûlé. Le fils sacrifié* (Tome 3), 2011.

MARCHILDON, Daniel. *La première guerre de Toronto*, 2010.

PÉRIÈS, Didier. *Mystères à Natagamau. Opération Clandestino*, 2013.

ROYER, Louise. *iPod et minijupe au 18ᵉ siècle*, 2011.

ROYER, Louise. *Culotte et redingote au 21ᵉ siècle*, 2012.

Imprimé sur papier Silva Enviro
100 % postconsommation
traité sans chlore, accrédité Éco-Logo
et fait à partir de biogaz.

Couverture 30 % de fibres postconsommation
Certifié FSC®. Fabriqué à l'aide d'énergie renouvelable,
sans chlore élémentaire, sans acide.

Couverture : photomontage (© Toxawww | Dreamstime.com,
© Alexandre | Fotolia.com, lexan | © Shutterstock® images).
Photographie de l'auteur : GiVogue Photographe
Maquette et mise en pages : Anne-Marie Berthiaume
Révision : Frèdelin Leroux

Achevé d'imprimer en juin 2013
sur les presses de Marquis Imprimeur
Montmagny (Québec) Canada